Viver com prioridades é a característica [...] autor. Carlos Alberto assim pautou sua [...] relacionamento com Deus, a família e a [...] que levantou. Neste livro você encontrar[...] [...] [...] viver acima da média e de fazer escolhas que marcarão sua vida e a de tantas outras pessoas.

Manoel de Oliveira Jr.
Pastor da New Life Presbyterian Community,
em Framingham (EUA)

Alguém já disse que "viver é eleger prioridades". Neste livro, pastor Carlos Alberto compartilha princípios fundamentais para uma vida bem-sucedida e nos faz entender por que ele mesmo tem sido tão abençoado e influente: pastor Carlos vive o que prega. Esta obra é, sem dúvida, um presente de Deus. Recomendo com entusiasmo.

Paulo Mazoni
Pastor sênior da Igreja Batista Central de Belo Horizonte

Meu precioso amigo pastor Carlos Alberto Bezerra é, acima de tudo, um homem de prioridades. Suas sábias escolhas e os frutos delas aparecem na vida pessoal, na família, no ministério e nos relacionamentos. Este livro vem com uma autoridade especial, pois tem respaldo de uma vida de integridade exemplar, resultado do relacionamento vital com o Senhor Jesus.

Abe Huber
Presidente da Associação MDA, diretor regional da Base
Ceará das Igrejas da Paz, escritor e conferencista

Este livro está repleto de princípios bíblicos práticos, amor e vida com Deus — como a vida do autor. Ele realmente traz a cultura do céu para a nossa humanidade aqui na terra! Encontrei nesta obra os princípios vividos e ensinados por um homem que exala Jesus. Amei este livro! Você tem mãos um manual de discipulado, escrito com simplicidade, paixão e sabedoria, como tem sido Carlos Alberto em seus 70 anos! Eu quero ser assim também!

Carlito Paes
Pastor da Primeira Igreja Batista em São José dos Campos

Com a experiência e a autoridade que só tem quem vive o que prega, pastor Carlos Alberto nos ensina, de forma prática e profunda, a ordenar as prioridades, o que certamente determinará de forma positiva o curso de nossa vida.

Marcelo Fernandes de Souza
Pastor da Comunidade Evangélica Vida Abundante (CEVA),
em Kearny (EUA)

Há obras que parecem produzidas sob a lógica "comércio primeiro; essência e conteúdo depois". Não é o caso deste livro. Como filho, posso dizer que cada capítulo é fruto da experiência de uma vida, provada à luz da Palavra. Dessa teoria, eu conheço a prática — e funciona.

Carlos Bezerra Jr.
Pastor, médico, deputado estadual e presidente da Comissão de
Direitos Humanos (SP). Criador do Programa Mãe Paulistana e de lei
apontada pela ONU como exemplo mundial contra o trabalho escravo.

CARLOS ALBERTO BEZERRA

Uma vida com prioridades

LIÇÕES QUE DEUS ME ENSINOU

Copyright © 2015 por Carlos Alberto Bezerra
Publicado por Editora Mundo Cristão

Os textos das referências bíblicas foram extraídos da *Almeida Revista e Atualizada*, 2ª ed. (RA), da Sociedade Bíblica do Brasil, salvo indicação específica. Eventuais destaques nos textos bíblicos e citações em geral referem-se a grifos do autor.

Todos os direitos reservados e protegidos pela Lei 9.610, de 19/02/1998.

É expressamente proibida a reprodução total ou parcial deste livro, por quaisquer meios (eletrônicos, mecânicos, fotográficos, gravação e outros), sem prévia autorização, por escrito, da editora.

CIP-Brasil. Catalogação-na-fonte
Sindicato Nacional dos Editores de Livros, RJ

B469u

    Bezerra, Carlos Alberto
        Uma vida com prioridades: lições que Deus me ensinou / Carlos Alberto Bezerra. — 1. ed. — São Paulo: Mundo Cristão, 2015.
        136 p.; 21 cm.

        1. Casamento — Aspectos religiosos — Cristianismo. 2. Conflito conjugal — Aspectos religiosos — Cristianismo. I. Título.

15-21365   CDD: 646.78
                                                                                                            CDU: 392.3

Categoria: Inspiração

Publicado no Brasil com todos os direitos reservados pela:
Editora Mundo Cristão
Rua Antônio Carlos Tacconi, 79, São Paulo, SP, Brasil, CEP 04810-020
Telefone: (11) 2127-4147
www.mundocristao.com.br

1ª edição: junho de 2015
2ª reimpressão: 2016

A Deus, em primeiro lugar, pela maravilhosa graça que um dia me alcançou. À minha esposa, Suely, que, ao longo de cinquenta anos de casamento, tem sido minha inspiração ministerial. À minha família, que tem me ajudado a praticar os princípios relacionados neste livro.

Sumário

Agradecimentos   9

Apresentação   11

Prefácio   13

Introdução   17

1. Relacionamentos   19

2. Arrependimento e mudança de vida   47

3. Escolhas certas   77

4. Amor ao próximo   107

Conclusão   127

Agradecimentos

A Deus, pois, sem ele, eu nada seria. Um dia, o Senhor me viu em meio a tantas pessoas e me confiou sua mensagem e suas ovelhas. Hoje, devo a minha vida inteiramente a ele.

À minha esposa, Suely, fiel companheira de tantos anos, que me sustenta em amor e me ensina que o melhor lugar onde estar é aos pés do Senhor.

A meus filhos, genros, noras e netos. Que grande privilégio é poder chegar aos cinquenta anos de casamento, ter minha família reunida e servindo ao Senhor Jesus. São seis filhos e dezesseis netos, que continuarão com a propagação das boas-novas de Jesus Cristo na terra. Sinto-me privilegiado por tê-los como grandes amigos na vida e no ministério. Com eles sou um homem melhor.

Aos pastores e às pastoras da Comunidade da Graça, que durante 36 anos de existência da denominação têm se mantido ao meu lado, inspirando, desafiando e renovando para os próximos anos que o Senhor nos acrescentará como Igreja de Cristo na terra. Louvo a Deus porque, por meio do companheirismo e da amizade desses pastores, temos, juntos, levantado um clamor por um poderoso mover de Deus em nossas comunidades.

À multidão de discípulos de Jesus de diferentes partes do Brasil e do mundo, que, ao longo da minha caminhada como pastor e servo de Cristo, tem me ensinado lições de excepcional valor. Aprendi que um pastor precisa ter cheiro de ovelha. A melhor decisão que tomei foi estar perto das ovelhas e dos discípulos de Cristo, aprendendo e servindo.

Meu sincero agradecimento à Mundo Cristão, por me dar a oportunidade de juntar-me a grandes escritores cristãos na propagação do evangelho.

Ao querido editor Maurício Zágari, por seu papel essencial na transformação de anos de ministério e mensagens em uma exímia obra literária.

A você, que adquiriu ou ganhou este livro na busca por novas perspectivas para sua vida. Que as histórias e os princípios que aprendi ao longo de mais de setenta anos de existência e cinquenta de vida ministerial possam de alguma forma ajudá-lo a conhecer mais de Jesus e dos princípios que ele valoriza.

Apresentação

A vida é uma correria: contas a pagar, problemas no trabalho, demandas com o cônjuge, questões de família, atividades na igreja, viagens, projetos, convites, cuidados com a casa, o carro que quebra, o cachorro que adoece, engarrafamentos, atrasos, supermercado, consulta médica, corre para cima, corre para baixo... Que loucura! Por vezes parece que é impossível lidar com tantas preocupações e dar conta de compromissos tão numerosos: é muita coisa para fazer em tão pouco tempo. O dia só tem 24 horas e elas parecem ser insuficientes.

Que atitudes devemos tomar diante dessa epidemia global de excesso de atividades e escassez de tempo? É possível resolver esse problema?

Sim, é. E a solução é estabelecer prioridades.

Prioridade é a condição do que está em primeiro lugar em importância, urgência, necessidade. Em outras palavras, trata-se daquilo que é essencial e que, por isso, deve receber mais de nossa atenção, nossas energias e nosso tempo. Se você não prioriza determinadas ações em detrimento de outras, provavelmente não vai conseguir resolver tudo o que estava na lista do dia e também vai deixar de realizar o que de fato tinha peso maior.

Uma vida com prioridades: lições que Deus me ensinou é uma ferramenta bastante útil para quem deseja saber para onde direcionar sua atenção, dada a importância de cada coisa na vida. Nesse sentido, o autor, Carlos Alberto Bezerra, propõe quatro áreas que precisam estar no centro de tudo o que pensamos e fazemos: relacionamentos; arrependimento e mudança de vida; escolhas acertadas e amor ao próximo. Se pusermos tais atitudes e valores em primeiro lugar, temos a promessa de uma vida plena, repleta de sentido. Uma vida que vale a pena ser vivida.

O autor é dono de uma vasta bagagem — pessoal e eclesiástica — que o gabarita a falar com total propriedade sobre o assunto. Respeitado em todo o país por suas atividades à frente da igreja que fundou, a Comunidade da Graça, e pela seriedade com que lida com as coisas de Deus, ele reúne experiências e conhecimento escriturístico suficientes para apontar caminhos a quem deseja viver com propósitos bem estabelecidos.

É com alegria que a Mundo Cristão recebe Carlos Alberto Bezerra em seu time de autores, com uma obra que promete edificar milhares de pessoas. Pois é sempre importante receber orientações sólidas e sérias sobre questões práticas do cotidiano, para podermos refletir sobre o peso que estamos dando a cada coisa e, se for o caso, redefinir o foco de nosso tempo e de nossos esforços. Afinal, nunca devemos nos esquecer de que estabelecer prioridades... é prioritário.

Boa leitura!

Maurício Zágari

Editor

Prefácio

Pastor Carlos Alberto Bezerra foi feliz na escolha do tema de seu livro. Prioridades são a essência da vida humana, justamente porque, bem escolhidas, produzem paz e alegria neste mundo e no vindouro.

Como pastor, o autor tem experiência para reforçar os argumentos que favorecem os assuntos que escolheu abordar. Relacionamentos têm de ser a prioridade máxima; com Deus, a esposa, os filhos e a igreja. Nenhum deles deve ser negligenciado. Todos esses relacionamentos devem ser controlados pelo amor, sendo que, para o crente, o primeiro mandamento tem prioridade absoluta. A Bíblia é o manual que nos orienta a viver nesses relacionamentos. As más escolhas de pessoas eminentes são descritas nas páginas da Bíblia como forma de nos advertir contra as decisões contrárias à vontade de Deus.

Os incrédulos precisam nascer de novo, pelo arrependimento, que não se identifica com remorso. Arrependimento é uma realidade mais profunda e dá base para uma vida transformada pela presença do Espírito Santo. A diferença entre uma pessoa que nasceu de novo e a que não passou por esse processo é comparável à que existe entre a pomba que come sementes e o urubu que vive procurando carniça. A diferença está na natureza dessas aves. O cristão verdadeiro necessariamente muda de apetite e passa a preferir as coisas de Deus.

Uma visita do autor a Paris, longe das regiões frequentadas por turistas, mostra como o mundo vive sem Deus. Seu relato mostra que o berço do evangelho reformado na Europa está caracterizado pela falta de pudor e pela diminuição da influência da lei de Deus. O que resta da Reforma é a lembrança do passado.

Este livro aponta para a importância de fazer escolhas de acordo com as indicações das Escrituras. Por exemplo, sobre a decisão de tentar unir em uma só carne o crente com o não crente, o que não dá certo. A Bíblia nos avisa da escolha errada que tenta tornar o filho de Deus uma só carne com o filho do Diabo.

Pastor Carlos Alberto, com cinquenta anos de experiência no ministério, reconhece que a liderança pastoral concede certa autorização aos membros de sua igreja para imitá-lo. Viver tentando passar aos ouvintes "faça o que eu digo, e não o que eu faço" é contraditório. Muito melhor seria dizer "escute o que eu digo e venha aprender comigo como praticar o que Deus tem a dizer".

Você não encontrará neste livro recomendações para a pregação da prosperidade material. Nossa obrigação seria buscar sempre um relacionamento com Deus que ocupe o centro da nossa vida e, então, esperar suas bênçãos.

Gostei de *Uma vida com prioridades*. Não tenho receio algum em recomendar sua leitura e orientação. Sobressai em cada página a experiência positiva que o autor tem vivido ao longo dos muitos anos de fiel ministério. Não tenho dúvida de que a leitura e a prática das instruções bíblicas nele contidas farão bem a qualquer pessoa, especialmente líderes das igrejas.

A Deus toda a glória!

Russell Shedd
Pastor, escritor, professor, conferencista e teólogo

Introdução

É desafiador pôr em prática aquilo que consideramos valores e ações prioritários de nossa existência. Ouso até mesmo dizer que os conceitos prioritários da vida só têm sentido se aplicados aos relacionamentos diários e às decisões corriqueiras, o que torna essa aplicação indispensável e urgente. E não me refiro a abraçar apenas uma ou duas das prioridades, mas todas elas. Porque nunca podemos pensar em prioridades como elementos isolados; elas são partes importantes que, juntas, dão sentido ao todo.

Uma possível analogia é pensar nas prioridades como uma árvore que acaba de ser plantada: se no processo de crescimento ela priorizar a alimentação e a profundidade das raízes, com certeza será bem-sucedida. Mas imagine por um momento que uma árvore plantada dê prioridade apenas à alimentação sem se preocupar muito com a profundidade das raízes. O que acontecerá com ela? Provavelmente, ficará bonita e frondosa por um tempo, mas a primeira ventania a derrubará, por faltar-lhe solidez e firmeza. O mesmo ocorre conosco, seres humanos, quando fazemos escolhas impensadas e invertemos as prioridades. Tornamo-nos vulneráveis às intempéries da vida — como problemas conjugais, dificuldades financeiras, decepções e desemprego. Nossas reações agravarão ainda mais a situação. As escolhas evidenciam as prioridades de nossa vida, e essas escolhas definem os frutos que serão gerados.

Conhecer aquilo que Jesus ensinou ser prioritário na vida esclarece as razões de, muitas vezes, investirmos tempo demais no que não traz muitos resultados. Se nos dedicarmos a entender isso, conseguiremos aplicar melhor o tempo e o dinheiro de que dispomos, por exemplo, além de lidar de maneira mais adequada com as emoções.

A boa notícia é que, assim que alinhamos corretamente as prioridades, as pessoas ao redor também percebem e, claro, são beneficiadas! Alguém com prioridades fundamentadas em Deus e em sua Palavra sempre obterá benefícios para a sua vida e a de todos aqueles que estão ao redor.

Meu desejo é que a leitura deste livro leve você a analisar sua jornada diária e suas prioridades. Consequentemente, que, com base nessa análise, consiga repensar suas atitudes, recalcular as rotas que tem percorrido e agir segundo as orientações bíblicas, fora das quais a vida perde o sentido.

O melhor que poderemos fazer, juntos, ao final desta leitura é tomar uma decisão: queremos ou não agir em prol de uma transformação real e palpável em tudo o que precisa ser mudado em nós? Se você concordar em tomar essa decisão, será um prazer compartilhar com você aquilo que Jesus me ensinou, de modo decisivo, ao longo de minha trajetória pessoal e pastoral, e também o que aprendi em mais de 70 anos de vida.

Capítulo 1

Relacionamentos

Não existe esperança de felicidade, exceto nas relações humanas.
Antoine de Saint-Exupéry

O homem é um ser relacional. Significa que faz parte de sua natureza o desejo de se relacionar constantemente com outros seres humanos. A história da humanidade registra esse fato na busca das pessoas por se organizarem desde o princípio em grupos — representados pela família, por clãs, povos ou nações —, com o simples objetivo de manter contato com seu semelhante.

Esse desejo por se relacionar é consequência natural da semente divina semeada no espírito humano no ato da criação. Fica claro na descrição bíblica da formação do primeiro homem e da primeira mulher que o Criador desejava ter contato pessoal, verbal, emocional e espiritual com esses novos seres:

> Façamos o homem à nossa imagem, conforme a nossa semelhança; tenha ele domínio sobre os peixes do mar, sobre as

aves dos céus, sobre os animais domésticos, sobre toda a terra e sobre todos os répteis que rastejam pela terra.

Gênesis 1.26

Essa relação, no entanto, foi seriamente comprometida quando a humanidade desobedeceu pela primeira vez ao seu Senhor. Nesse momento, ocorreu um rompimento relacional que, se dependesse da capacidade humana, jamais seria restabelecido. Com isso, o contato entre Criador e criaturas, e entre elas próprias, ficou seriamente prejudicado, como evidencia o primeiro homicídio da história, o de Abel, cometido pelo próprio irmão, Caim (cf. Gn 4.1-15).

Felizmente, o Senhor providenciou um meio de restabelecer esse relacionamento: assumiu a forma humana, na pessoa de Jesus; morreu na cruz para pagar o preço da nossa desobediência e ressuscitou, tornando-se vencedor sobre a morte e o pecado. Por meio desse fenômeno sobrenatural, o sacrifício de Cristo, não só o relacionamento entre Criador e criaturas foi restabelecido, como recebemos o direito de chamar Deus de "Pai". Portanto, quando nos referimos ao que Jesus fez dois mil anos atrás, estamos falando de uma grande revolução relacional, que transformou Criador e criaturas em Pai e filhos.

Um dos primeiros seguidores de Jesus a deixar registrado, por escrito, aspectos fundamentais dessa reconciliação foi o apóstolo Paulo. Ele compreendia muito bem o significado do sacrifício de Cristo, pois ele mesmo foi um perseguidor feroz da Igreja no primeiro século da era cristã. Após uma experiência de relacionamento pessoal com Jesus (cf. At 9.1-19), iniciada nos eventos ocorridos na estrada para Damasco, Paulo desenvolveu um contato íntimo e profundo com Deus (2Co 12.2-4). Ao escrever uma carta para cristãos da cidade grega de Éfeso, que acabou sendo considerada divinamente inspirada e, por isso, incorporada aos 66 livros da Bíblia, ele trata com muita ênfase do que Jesus fez na cruz. Paulo deixa claro que, ao morrer por cada pecador, o carpinteiro de Nazaré proporcionou aquilo que o cristianismo chama de *salvação*, isto é: o homem morto espiritualmente em seus delitos e pecados é salvo da morte espiritual ao crer no sacrifício de Cristo e, como consequência dessa fé, passa a viver como um seguidor fiel de seus mandamentos. Tudo isso, para que pessoas desobedientes a Deus pudessem voltar a se relacionar com o Pai. Veja o que Paulo escreveu em Efésios:

> Bendito o Deus e Pai de nosso Senhor Jesus Cristo, que nos tem abençoado com toda sorte de bênção espiritual nas regiões celestiais em Cristo, assim como nos escolheu, nele, antes da fundação do mundo, para sermos santos e irrepreensíveis perante ele; e em amor nos predestinou para ele, para a adoção de filhos, por meio de Jesus Cristo, segundo o beneplácito de sua vontade, para louvor da glória de sua graça, que ele nos concedeu gratuitamente no Amado, no qual temos a redenção, pelo seu sangue, a remissão dos pecados, segundo a riqueza da sua graça, que Deus derramou abundantemente sobre nós em toda a sabedoria e prudência, desvendando-nos o mistério da sua vontade, segundo o seu beneplácito que propusera em Cristo, de fazer convergir nele, na dispensação da plenitude dos tempos, todas as coisas, tanto as do céu como as da terra; nele, digo, no qual fomos também feitos herança, predestinados segundo o propósito daquele que faz todas as coisas conforme o conselho da sua vontade, a fim de sermos para louvor da sua glória, nós, os que de antemão esperamos em Cristo; em quem também vós, depois que ouvistes a palavra da verdade, o evangelho da vossa salvação, tendo nele também crido, fostes selados com o Santo Espírito da promessa; o qual é o penhor da nossa herança, até ao resgate da sua propriedade, em louvor da sua glória.
>
> Efésios 1.3-14

Ao longo dessa carta, Paulo desenvolve toda uma argumentação sobre como deve ser nossa relação com Deus e com as pessoas. Vejamos como isso se deu.

Relacionamento com Deus

A prioridade máxima em nossa vida tem de ser o relacionamento com Deus. Em termos bíblicos, isso significa ser "cheio do Espírito Santo" (cf. Ef 5.18) e viver uma vida voltada para "aquele que nos amou primeiro" (cf. 1Jo 4.19), assim como Cristo fez. Jesus experimentou um relacionamento íntimo com o Pai durante sua vida terrena: "Em verdade, em verdade vos digo que o Filho nada pode fazer de si mesmo, senão somente aquilo que vir fazer o Pai; porque tudo o que este fizer, o Filho também semelhantemente o faz" (Jo 5.19). Uma vez que Jesus se relacionava intimamente com o Pai, ele só fazia aquilo que o Pai faz, o que automaticamente o identifica com ele.

Nós, de igual modo, tínhamos um "pai" quando estávamos longe de Deus: o Diabo. E éramos muito parecidos com ele. A Bíblia diz que, antes de sermos adotados pelo Senhor (cf. Gl 4.5), éramos filhos da ira (cf. Ef 2.3) e nos parecíamos com o príncipe deste mundo: mentirosos (cf. Jo 8.44) e incapazes de amar e perdoar. Assim, a pessoa que não é convertida a Cristo não se assemelha a ele, pelo contrário, carrega em si a semelhança do inimigo de Jesus.

No entanto, depois que fomos reconciliados com Deus e feitos justos por meio da salvação proporcionada pela morte e ressurreição do Messias, nos tornamos novas criaturas (cf. 2Co 5.17), parecidos com o Pai, irmãos de Cristo e interessados em imitá-lo em tudo o que fazemos: "Sede, pois, imitadores de Deus, como filhos amados; e andai em amor, como também Cristo nos amou e se entregou a si mesmo por nós, como oferta e sacrifício a Deus, em aroma suave" (Ef 5.1-2).

Assim, é fundamental receber Jesus como Senhor e salvador de nossa alma, processo esse conhecido como *conversão*. Uma vez que abraçamos essa nova realidade, deixamos de ser criaturas de Deus para nos tornar seus filhos! Precisamos, portanto, nos relacionar com o Pai e andar em amor, como Jesus andou. Esse é o princípio de qualquer relacionamento.

A relação com Deus determina o sucesso de todos os outros relacionamentos na vida, o que torna vital e urgente priorizá-lo. Uma vez que sabemos que o relacionamento com o Pai era a base da vida de Jesus, pergunte a si mesmo: qual é a base da sua vida? Deus é o centro de tudo o que você pensa e faz? Seu relacionamento com o Pai se reflete em sua conduta e nas relações interpessoais? Questões como essas devem nortear cada passo da nossa jornada.

O relacionamento com Deus é, portanto, o alicerce sobre o qual os demais tipos de relações precisam ser firmados, como veremos ao longo deste capítulo.

A prioridade máxima em nossa vida tem de ser o relacionamento com Deus.

Relacionamento conjugal

A segunda prioridade na vida deve ser o relacionamento com o cônjuge. Curiosamente, o pensamento dominante na sociedade não considera o casamento uma estrutura fundamental, visto que tem criado e valorizado muitos mecanismos e filosofias que esvaziam o relacionamento entre marido e mulher, como o divórcio, o individualismo e o hedonismo. A Bíblia diz: "Deixará o homem a seu pai e a sua mãe e se unirá à sua mulher, e se tornarão os dois uma só carne" (Ef 5.31). Ser *uma só carne* significa ser *um* com o outro. Assim, não há mais divisão de interesses entre o casal. Os cônjuges cuidam um do outro porque já não são dois, mas um.

Lamentavelmente, nossa cultura ocidental não prioriza essa verdade tão essencial; em vez disso, são o interesse e o bem-estar individual que prevalecem, gerando egoísmo e desagregação de estruturas como o casamento, que é uma unidade plural.

O relacionamento conjugal só se completa quando o Senhor faz parte dele, como a Bíblia esclarece:

> Melhor é serem dois do que um, porque têm melhor paga do seu trabalho. Porque se caírem, um levanta o companheiro; ai, porém, do que estiver só; pois, caindo, não haverá quem o levante. Também, se dois dormirem juntos, eles se aquentarão; mas um só como se aquentará? Se alguém quiser prevalecer contra um, os dois lhe resistirão; o cordão de três dobras não se rebenta com facilidade.
>
> Eclesiastes 4.9-12

Portanto, todo casal precisa trazer Deus para o casamento. Muitos lares, incluindo os de famílias cristãs, estão destruídos pela ausência do Senhor, refletida na deturpação da ética cristã, dos valores do evangelho, dos propósitos do reino dos céus. A questão não está na recusa de Deus de se fazer presente, mas na falta do convite para participar dessa união. E essa ausência infelizmente provoca o fracasso de muitos relacionamentos conjugais, porque passam a depender exclusivamente das habilidades humanas de cada um, sem a benigna interferência divina.

A Bíblia aponta uma verdade fundamental acerca dessa questão, ao relatar a participação de Jesus como convidado de uma festa de casamento:

> Três dias depois, houve um casamento em Caná da Galileia, achando-se ali a mãe de Jesus. Jesus também foi convidado, com os seus discípulos, para o casamento. Tendo acabado o vinho, a mãe de Jesus lhe disse: Eles não têm mais vinho. Mas Jesus lhe disse: Mulher, que tenho eu contigo? Ainda não é chegada a minha hora. Então, ela falou aos serventes: Fazei tudo o que ele vos disser. Estavam ali seis talhas de pedra, que os judeus usavam para as purificações, e cada uma levava duas ou três metretas. Jesus lhes disse: Enchei de água as talhas. E eles as encheram totalmente. Então, lhes determinou: Tirai agora e levai ao mestre-sala. Eles o fizeram. Tendo o mestre-sala provado a água transformada em vinho (não sabendo donde viera, se bem que o sabiam os serventes que haviam tirado a água), chamou o noivo e lhe disse: Todos costumam pôr primeiro o bom vinho e, quando já beberam fartamente, servem o inferior; tu, porém, guardaste o bom vinho até agora. Com este, deu Jesus princípio a seus sinais em Caná da Galileia; manifestou a sua glória, e os seus discípulos creram nele.
>
> João 2.1-11

No casamento mencionado nessa passagem bíblica, fica claro que o Senhor pôde intervir e realizar um milagre, quando o vinho acabou, simplesmente porque estava presente. Se ele não estivesse ali, como teria feito a transformação da água em vinho? Fica evidente que a presença de Jesus em um lar é fundamental para que o relacionamento entre marido e mulher supere as dificuldades que surgem no caminho.

Este é, portanto, o segredo mais importante para quem deseja ter um casamento feliz e bem-sucedido: incluir

Deus na relação entre marido e esposa. Assim, o sucesso do relacionamento conjugal está atrelado à primeira prioridade, o relacionamento com Deus, que se manifesta imediatamente no casamento. Se você estiver enfrentando problemas na relação conjugal, precisa examinar como anda o relacionamento de ambos com o Senhor; existe uma grande possibilidade de que as dificuldades sejam consequência de uma vida distante daquele que é amor, perdão, reconciliação e vida em abundância, e para quem nada é impossível.

Mas os segredos para um relacionamento conjugal bem-sucedido não param por aí. Além da presença determinante de Deus, há outro aspecto que precisa ser considerado para a felicidade no lar: o papel de cada um no casamento. O apóstolo Paulo faz afirmações contundentes sobre as responsabilidades principais de marido e mulher nessa relação:

> As mulheres sejam submissas ao seu próprio marido, como ao Senhor; porque o marido é o cabeça da mulher, como também Cristo é o cabeça da igreja, sendo este mesmo o salvador do corpo. Como, porém, a igreja está sujeita a Cristo, assim também as mulheres sejam em tudo submissas ao seu marido. Maridos, amai vossa mulher, como também Cristo amou a igreja e a si mesmo se entregou por ela, para que a santificasse, tendo-a purificado por meio da lavagem de água pela palavra, para a apresentar a si mesmo igreja gloriosa, sem mácula, nem ruga, nem coisa semelhante, porém santa e sem defeito. Assim também os maridos devem amar a sua mulher como ao próprio corpo. Quem ama a esposa a si mesmo se ama. Porque ninguém jamais odiou a própria carne; antes, a alimenta e dela cuida, como também Cristo o faz com a igreja; porque somos membros do seu corpo. Eis por que deixará o homem a seu pai e a sua mãe e se unirá à sua mulher, e se tornarão os dois uma só carne.
>
> Efésios 5.22-31

O primeiro aspecto é a submissão da esposa ao marido, condição que é compreendida equivocadamente com muita frequência. Submissão significa *estar sob uma missão*, isto é, ter uma missão a cumprir. E, no caso, que missão é essa? A de ser ajudadora, auxiliadora do esposo, como Deus estabeleceu no ato da criação da mulher: "Não é bom que o homem esteja só; far-lhe-ei uma auxiliadora que lhe seja idônea" (Gn 2.18). Precisamos compreender que o auxiliar não é alguém que está abaixo, nem atrás, mas ao lado, pois, só assim, é possível prestar auxílio. Muitas mulheres rejeitam essa condição por entenderem, equivocadamente, que submissão significa subserviência, anulação. Não é nada disso: submeter-se é cooperar, honrar.

O texto bíblico trata, em seguida, do papel do marido. E a exigência para os homens é ainda maior que para as mulheres. O texto sagrado declara que o marido deve amar a esposa a ponto de dar a vida por ela, como Cristo fez pela Igreja. Assim, se a mulher tem de honrar o marido, o homem tem de amá-la sem limites. E aqui vemos novamente a importância absoluta da presença de Deus em um lar, pois um ser humano só é capaz de estender amor ilimitado a outro ser humano por meio do relacionamento com Deus. Pelas próprias forças ninguém seria capaz de fazê-lo; apenas a intimidade com o Senhor desperta no marido esse tipo de amor único e sacrificial pela esposa.

Neste ponto, creio que está muito claro que apenas mediante o cumprimento da prioridade máxima em nossa vida somos capazes de superar as adversidades e as dificuldades e, assim, cumprir a segunda prioridade. É o relacionamento com o Senhor que capacita o homem a obedecer ao mandamento de amar a esposa como Cristo amou a

Igreja, e essa, por sua vez, a se submeter ao marido, como a Igreja está submissa a Cristo. Essa via de mão dupla tem resultados extraordinários, pois, quando o homem ama sua mulher como Cristo amou a Igreja, ela passa a se submeter com muito mais facilidade; e quando ela expressa sua submissão, em amor, o marido consegue muito mais facilmente amá-la com atitudes sacrificiais e devotadas. A mulher que é amada torna-se fiel e leal, e o homem a quem a esposa auxilia com respeito e honra tem uma vida naturalmente devota a ela. É um mecanismo perfeito, projetado pela mente divina.

Se, por um lado, marido e mulher que cumprem seus papéis têm uma jornada conjugal mais segura, por outro o descumprimento das determinações de Deus para cada cônjuge gera muitos problemas. Não é difícil encontrar, por exemplo, esposas feridas pela deslealdade e falta de amor do marido. Nesse caso, o problema começa no homem, porque muitos adotam uma postura ditatorial, desprovida de expressões naturais de amor. O papel do homem, contudo, não consiste em distribuir ordens, mas, sim em servir. Amor é serviço. E a mulher que é amada pelo marido com o mesmo amor com que Cristo amou a Igreja, que é um amor servil, honra essa devoção. A Bíblia é clara:

> Tende em vós o mesmo sentimento que houve também em Cristo Jesus, pois ele, subsistindo em forma de Deus, não julgou como usurpação o ser igual a Deus; antes, a si mesmo se esvaziou, assumindo a forma de servo...
>
> Filipenses 2.5-7

> O Filho do Homem [...] não veio para ser servido, mas para servir e dar a sua vida em resgate por muitos.
>
> Mateus 20.28

Dificilmente uma mulher deixa de amar e honrar o marido quando é amada por ele com esse amor servil. Os homens precisam reconhecer quando não demonstram esse tipo de amor por sua esposa — adotando um comportamento grosseiro, indelicado e insensível — e esforçar-se para agir como Jesus, que é amável, gentil, sensível, amoroso. Os maridos precisam ser como é o Mestre. Precisam agradecer a Deus pela vida da esposa.

A vida conjugal deve receber toda a atenção daqueles que querem seguir o caminho proposto pela Bíblia, a fim de gerar relacionamentos saudáveis em todos os níveis. Uma vida conjugal desordenada gera famílias desajustadas. Para que isso não aconteça, é indispensável priorizar o relacionamento com Deus, convidando-o para estar presente na vida conjugal.

> *Se você estiver enfrentando problemas na relação conjugal, precisa examinar como anda o relacionamento de ambos com o Senhor; existe uma grande possibilidade de que as dificuldades sejam consequência de uma vida distante daquele que é amor, perdão, reconciliação e vida em abundância, e para quem nada é impossível.*

Relacionamento familiar

A terceira prioridade no quesito relações é o relacionamento familiar, ou seja, entre pais e filhos. A exemplo da relação conjugal, o relacionamento familiar apresenta uma perspectiva dupla: dos filhos para os pais e destes para os filhos.

Hoje não raro encontramos pais que se eximem da responsabilidade de cuidar da família, deixando os filhos à deriva, para serem educados de acordo com os valores de uma sociedade secular que segue princípios em grande parte diferentes daqueles propostos pelo evangelho. O resultado são filhos desequilibrados e problemáticos. Uma geração que não foi orientada a respeitar limites e, portanto, não sabe lidar com a frustração nem é capaz de fazer as escolhas certas. Por isso, a Bíblia enfatiza que a disciplina e a orientação dos pais são fundamentais para o desenvolvimento dos filhos.

> Ora, se alguém não tem cuidado dos seus e especialmente dos da própria casa, tem negado a fé e é pior do que o descrente.
>
> 1 Timóteo 5.8

Li um artigo, escrito segundo as perspectivas psicológica e educacional, que destacava o fato de os jovens estarem tão sedentos por limites a ponto de chegar a pedir aos pais que lhes digam o que *não* podem fazer. Aquilo me impressionou, pois reconheci ali a realidade de muitas famílias hoje: falta de correção e de imposição de limites aos filhos. Mas não é só isso. Falta também negação, isto é, dizer *não* aos filhos. Sem que percebam, muitos pais estão falhando no que se refere ao amor aos filhos, uma vez que o afeto paterno precisa necessariamente ser acompanhado da disciplina.

> Filho meu, não menosprezes a correção que vem do Senhor, nem desmaies quando por ele és reprovado; porque o Senhor corrige a quem ama e açoita a todo filho a quem recebe. É para disciplina que perseverais (Deus vos trata como filhos); pois que filho há que o pai não corrige? Mas, se estais sem correção, de que todos se têm tornado participantes, logo, sois bastardos e não filhos.
>
> Hebreus 12.5-8

Assim como o Pai celestial nos corrige, precisamos disciplinar os filhos. Ao contrário do que muitos podem pensar, eles se sentem amados quando são corrigidos e ensinados pelos pais. A correção os ensina a viver nos limites da verdade, da justiça, da santidade, da pureza, do amor e da retidão. Em resumo, a disciplina produz honra, pois filhos disciplinados honram os pais e a Deus. E essa é, por sua vez, a prioridade dos filhos no relacionamento com os pais:

> Honra teu pai e tua mãe, para que se prolonguem os teus dias na terra que o Senhor, teu Deus, te dá.
>
> Êxodo 20.12

> Filhos, obedecei a vossos pais no Senhor, pois isto é justo. Honra a teu pai e a tua mãe (que é o primeiro mandamento com promessa), para que te vá bem, e sejas de longa vida sobre a terra.
>
> Efésios 6.1-3

Muitas pessoas pensam que os filhos só devem honra aos pais até se casarem e constituírem a própria família. Tal pensamento não é correto, pois, embora na fase adulta os filhos não devam mais obediência aos pais, eles continuam devendo honra. E isso é para sempre. Abandonar os pais contraria a Palavra de Deus. Devemos zelar por aqueles que nos criaram e nos geraram, pois isso demonstra nosso amor pelo Pai celestial. Se você quer prosperar, honre pai e mãe. Eles nos foram dados por Deus para nos abençoar, cuidar de nós e ser nossa proteção e cobertura espiritual.

Se queremos experimentar um relacionamento familiar produtivo, crescente, maduro e significativo, também precisamos pautá-lo em nossa relação com Deus. Da mesma maneira que temos um Pai que nos ama e nos deu o que tinha de mais precioso, seu Filho, como pais devemos dar aos filhos aquilo que os tornará pessoas sadias e equilibradas:

> Ensina a criança no caminho em que deve andar, e, ainda quando for velho, não se desviará dele.
>
> Provérbios 22.6

Portanto, como pais, devemos criar os filhos na admoestação do Senhor e muni-los de ferramentas para viver uma vida plena e feliz. E, como filhos, temos de honrar os pais como honramos o Senhor, com atenção, zelo e amor. Esse é um relacionamento de mão dupla: os pais servem os filhos, e os filhos honram os pais. É essa combinação que torna uma família sadia.

Sem que percebam, muitos pais estão falhando no que se refere ao amor aos filhos, uma vez que o afeto paterno precisa necessariamente ser acompanhado da disciplina.

Relacionamento profissional

O trabalho é uma atribuição delegada por Deus à humanidade desde o princípio da criação. Existe o pensamento equivocado de que a necessidade de trabalhar é uma consequência da desobediência do homem e da mulher ao Senhor, algo como uma punição. Isso não é verdade. Se analisarmos o texto bíblico, veremos que o Criador já chamou a humanidade para o trabalho desde antes da queda:

> Tomou, pois, o Senhor Deus ao homem e o colocou no jardim do Éden *para o cultivar e o guardar.*
>
> Gênesis 2.15

Repare que, antes do pecado, Deus já dera um trabalho a Adão: cultivar e guardar o jardim. Isso não mudou em relação a nós: o Criador se interessa por nossa vida profissional e nos informa sobre como proceder corretamente no que se refere a ela. Ele nos criou com a capacidade de desenvolver aptidões pessoais, a fim de ganharmos os recursos necessários para o sustento da família. O apóstolo Paulo afirmou:

> Porque, quando ainda convosco, vos ordenamos isto: se alguém não quer trabalhar, também não coma. Pois, de fato, estamos informados de que, entre vós, há pessoas que andam desordenadamente, não trabalhando; antes, se intrometem na vida alheia. A elas, porém, determinamos e exortamos, no Senhor Jesus Cristo, que, trabalhando tranquilamente, comam o seu próprio pão.
>
> 2Tessalonicenses 3.10-12

Precisamos entender que o trabalho é agradável a Deus; por isso, temos de honrar a carreira ou a área onde o Senhor nos plantou e a ele nos dedicar. A esta altura, você poderia se perguntar o que mercado de trabalho tem a ver com relacionamentos. Ora, precisamos construir relações saudáveis no ambiente de trabalho, a fim de glorificar a Deus com nossa vida e nossa profissão.

Como nos outros tipos de relacionamento, esse tem dois lados: o do empregado e o do empregador. A Bíblia nos dá orientações claras sobre isso:

> Quanto a vós outros, servos, obedecei a vosso senhor segundo a carne com temor e tremor, na sinceridade do vosso coração, como a Cristo, não servindo à vista, como para agradar a homens, mas como servos de Cristo, fazendo, de coração, a vontade de Deus; servindo de boa vontade, como ao Senhor e não como a homens, certos de que cada um, se fizer alguma coisa boa, receberá isso outra vez do Senhor, quer seja servo, quer livre. E vós, senhores, de igual modo procedei para com eles, deixando as ameaças,

sabendo que o Senhor, tanto deles como vosso, está nos céus e que para com ele não há acepção de pessoas.

Efésios 6.5-9

Percebemos que o padrão bíblico de relação profissional exige que o funcionário trabalhe como se o patrão fosse o próprio Deus, sabendo que sua atividade não é vã, no Senhor (cf. 1Co 15.58). Isto é glorioso: vamos receber do Senhor a recompensa por nosso trabalho. Não trabalhamos para homens, mas para o Todo-poderoso. Portanto, tudo o que fazemos deve ser para ele, para louvor e honra do Altíssimo. Em contrapartida, o empregador, retratado na Palavra como "senhor", deve tratar o empregado com respeito, sem explorá-lo ou ameaçá-lo, e pagar-lhe o que é devido, sabendo que ele também tem um Senhor no céu. Assim, a relação entre patrão e funcionário deve ser norteada pelo senso de justiça, verdade e amor. Afinal, como já vimos, amor é serviço e deve estar presente em todos os nossos relacionamentos.

O Criador se interessa por nossa vida profissional e nos informa sobre como proceder corretamente no que se refere a ela. Ele nos criou com a capacidade de desenvolver aptidões pessoais, a fim de ganharmos os recursos necessários para o sustento da família.

Bons servos não só obedecem a seu senhor, mas o respeitam e honram. São trabalhadores, honestos e produtivos, porque entendem que, servindo a seu patrão, estão servindo ao Senhor. A prioridade deles é Deus, por isso dão o melhor de si no trabalho. Bons patrões, por sua vez, devem cuidar bem dos servos, lembrando que o Senhor é onisciente e vê como eles procedem.

Relacionamento ministerial

A quinta prioridade em termos de relacionamentos refere-se ao que realizamos na vida ministerial, ou seja, aquilo que expressa quem somos em Deus. E aqui é importante frisar que vida ministerial não é apenas um serviço prestado à igreja ou uma responsabilidade eclesiástica, mas, sim, como a pessoa vive em todas as esferas, onde quer que esteja, em todo o tempo.

Vida ministerial é, portanto, o nosso testemunho, aquilo que somos e mostramos ser no dia a dia. Precisamos expressar nossa vida com Deus por meio do ministério e assumir a responsabilidade de dar testemunho diante das pressões, dos desafios e das circunstâncias da vida, firmados não na capacidade humana, mas, sim, no relacionamento com Deus. Nesse sentido, é importante esmiuçarmos uma passagem da Bíblia que remete a esse aspecto dos relacionamentos:

> Quanto ao mais, sede fortalecidos no Senhor e na força do seu poder. Revesti-vos de toda a armadura de Deus, para poderdes ficar firmes contra as ciladas do diabo; porque a nossa luta não é contra o sangue e a carne, e sim contra os principados e potestades, contra os dominadores deste mundo tenebroso, contra as forças espirituais do mal, nas regiões celestes. Portanto, tomai toda a armadura de Deus, para que possais resistir no dia mau e, depois de terdes vencido tudo, permanecer inabaláveis. Estai, pois, firmes, cingindo-vos com a verdade e vestindo-vos da couraça da justiça. Calçai os pés com a preparação do evangelho da paz; embraçando sempre o escudo da fé, com o qual podereis apagar todos os dardos inflamados do Maligno. Tomai também o capacete da salvação e a espada do Espírito, que é a palavra de Deus.
>
> Efésios 6.10-17

Como já vimos, as prioridades da vida estão ligadas, em sua totalidade, ao relacionamento com Deus, expresso em todas as dimensões da existência humana. Paulo ensina que temos um projeto de vida, um desafio a enfrentar e um inimigo a vencer. Esse inimigo só pode ser confrontado se fizermos uso das armas que temos em Deus, uma vez que é por meio delas que conseguimos vencer a batalha espiritual travada na vida ministerial. Somos ministros de Deus na terra. Ele nos fez seus embaixadores, e, em todas as áreas, temos de expressar nosso relacionamento com o Senhor.

A vida cristã é prática. Precisamos viver o que pregamos e estar preparados para permanecer firmes em meio aos ataques do Diabo. Para isso, devemos estar revestidos de toda a armadura de Deus, que inclui virtudes como verdade, justiça, paz e fé. Paulo afirma que, para enfrentar todas as ciladas do Inimigo, temos disponíveis as armas da verdade, da justiça e do evangelho da paz — que nos transformou em filhos de Deus —, além do escudo da fé, do capacete da salvação, da espada do Espírito e da oração. Sabendo utilizar essas armas segundo a vontade divina, estaremos protegidos das astutas ciladas do Maligno, que, assim, não poderá nos tocar:

> Sabemos que todo aquele que é nascido de Deus não vive em pecado; antes, Aquele que nasceu de Deus o guarda, *e o Maligno não lhe toca*.
>
> 1João 5.18

Trata-se de uma questão de causa e efeito: quando a vida com Deus, a conjugal, a familiar e a profissional estão em ordem, temos condições de enfrentar o Inimigo. Quando, porém, um desses relacionamentos não está firme no Senhor, ficamos desarmados e, fatalmente, acabamos por ser atacados, quando não somos vencidos por Satanás.

Não permita que essa tragédia ocorra! Não abra as portas, propiciando, com isso, espaço para o que o Diabo atue como bem desejar.

Não se engane: se você não consegue exercer a fé diante da crise, da luta e da dificuldade, é porque ainda precisa desenvolver-se no conhecimento de Deus e de sua Palavra. E, sem o escudo da fé, você fica desarmado. Portanto, se ainda não experimentou a poderosa salvação em Deus, sua mente encontra-se completamente vazia e desprotegida, abrindo uma brecha para que nela Satanás faça ninho. De igual modo, se você não vive a dimensão da plenitude do Espírito, traduzida em uma rotina de oração e de leitura da Bíblia, você está sem a espada, que é a Palavra de Deus.

> *Vida ministerial é, portanto, o nosso testemunho, aquilo que somos e mostramos ser no dia a dia. Precisamos expressar nossa vida com Deus por meio do ministério e assumir a responsabilidade de dar testemunho diante das pressões, dos desafios e das circunstâncias da vida.*

Assim, a pessoa que não tem uma vida cheia do Espírito fica desarmada e fatalmente perece. Essa é a razão de tantos passarem por dificuldades e lutas sem que descubram caminhos para sair delas. Todos enfrentamos crises, certamente; a distinção está em possuir o conhecimento da Palavra de Deus e em revestir-nos dela, protegendo-nos, assim, em todos os aspectos da vida. Só protegidos por essas defesas somos capazes de viver vitoriosamente.

• • •

A perspectiva de Deus

Embora muitas vezes compreendamos as verdades divinas expressas na Bíblia, na realidade não desejamos obedecer-lhes de todo o coração. Para viver a vida abundante que o Senhor tem preparado para nós, precisamos de bem mais que apenas compreender: temos de ansiar por realmente cumprir o que Deus diz nas Escrituras. Isso, porém, nem sempre acontece. As palavras do patriarca Moisés, na passagem a seguir, relatam como estava o coração do povo de Israel quando Deus lhes entregou os Dez Mandamentos:

> Chega-te, e ouve tudo o que disser o Senhor, nosso Deus; e tu nos dirás tudo o que te disser o Senhor, nosso Deus, e o ouviremos, e o cumpriremos. Ouvindo, pois, o Senhor as vossas palavras, quando me faláveis a mim, o Senhor me disse: Eu ouvi as palavras deste povo, as quais te disseram; em tudo falaram eles bem. Quem dera que eles tivessem tal coração, que me temessem e guardassem em todo o tempo todos os meus mandamentos, para que bem lhes fosse a eles e a seus filhos, para sempre!
>
> Deuteronômio 5.27-29

O Senhor sabia que as palavras proferidas pelos israelitas não condiziam com a real intenção do coração deles. Embora afirmassem desejar ouvir a Palavra de Deus e praticá-la, intimamente não estavam inclinados a isso. Na perspectiva do Senhor, ninguém consegue obedecer-lhe, e consequentemente às prioridades por ele estabelecidas, se não receber um novo coração:

> Dar-vos-ei coração novo e porei dentro de vós espírito novo; tirarei de vós o coração de pedra e vos darei coração de carne. Porei dentro de vós o meu Espírito e farei que andeis nos meus estatutos, guardeis os meus juízos e os observeis.
>
> Ezequiel 36.26-27

Na nova aliança, isto é, depois da morte e ressurreição de Jesus, esse novo coração equivale ao fenômeno conhecido como *novo nascimento*, que em termos teológicos significa *regeneração*. Portanto, não basta conhecer a Bíblia, ser religioso, ir a uma celebração aos domingos na igreja. É necessário ter um novo coração, nascer de novo, como o próprio Jesus explicou.

> Havia, entre os fariseus, um homem chamado Nicodemos, um dos principais dos judeus. Este, de noite, foi ter com Jesus e lhe disse: Rabi, sabemos que és Mestre vindo da parte de Deus; porque ninguém pode fazer estes sinais que tu fazes, se Deus não estiver com ele. A isto, respondeu Jesus: Em verdade, em verdade te digo que, se alguém não nascer de novo, não pode ver o reino de Deus. Perguntou-lhe Nicodemos: Como pode um homem nascer, sendo velho? Pode, porventura, voltar ao ventre materno e nascer segunda vez? Respondeu Jesus: Em verdade, em verdade te digo: quem não nascer da água e do Espírito não pode entrar no reino de Deus. O que é nascido da carne é carne; e o que é nascido do Espírito é espírito.
>
> João 3.1-6

Quantas vezes você e eu, embora conheçamos Deus e sua Palavra, nos frustramos por não conseguir, de fato, praticá-la? O apóstolo Paulo escreveu uma confissão contundente: "Porque não faço o bem que prefiro, mas o mal que não quero, esse faço" (Rm 7.19, RC), deixando claro que ele mesmo lutava contra sua natureza transgressora. Nossa essência humana pecaminosa insiste em querer prevalecer contra o espírito, mas, pelas armas de Deus, podemos vencê-la. Paulo revela como:

> Portanto, agora, nenhuma condenação há para os que estão em Cristo Jesus, que não andam segundo a carne, mas segundo o espírito. Porque a lei do Espírito de vida, em Cristo Jesus, me livrou da lei do pecado e da morte.
>
> Romanos 8.1-2, RC

Eis o segredo: andar segundo o Espírito. E andar de acordo com a vontade do Espírito Santo de Deus só é possível quando negamos as próprias vontades e permitimos que a natureza divina se manifeste em nós.

Uma vez mais é Paulo quem explica: "Já estou crucificado com Cristo; e vivo, não mais eu, mas Cristo vive em mim; e a vida que agora vivo na carne vivo-a na fé do Filho de Deus, o qual me amou e se entregou a si mesmo por mim" (Gl 2.20, RC). O apóstolo de Cristo está dizendo, em outras palavras, que a vida dele não lhe pertence mais. Ele se apresenta como alguém que "morreu": o escravo do pecado morreu, o desobediente a Deus morreu, o criminoso morreu; e agora ele está crucificado com Cristo. A vida que tem não lhe pertence mais; é de Jesus.

A esse respeito, Paulo afirma, ainda: "Pois o amor de Cristo nos constrange, julgando nós isto: um morreu por todos; logo, todos morreram" (2Co 5.14). Um se sacrificou por todos em uma cruz para que todos os que vivem nele não mais vivam para si, mas para aquele que por eles morreu e que por eles ressuscitou.

Portanto, é o amor de Cristo que nos leva a viver essa nova realidade. Ele nos amou tanto que deu a vida por nós, a fim de que perdêssemos essa vida de desobediência a Deus e ganhássemos uma nova vida: honesta, santa, justa, piedosa, cheia de amor. Renascidos nessa nova condição, somos capazes de amar a Deus e viver na plenitude de seu Espírito. Isso é o novo coração. Isso é o novo nascimento. Isso é ser nova criatura. Paulo afirma: "Cristo em vós, a esperança da glória" (Cl 1.27) porque aqueles que são de Cristo crucificaram a carne, com as paixões e os sentimentos, e se tornaram coparticipantes da natureza divina (cf. 2Pe 1.2-4).

Ganhamos coparticipação. Tal como o Senhor é, somos também neste mundo (cf. 1Jo 4.17). Assim, se entregamos a vida a Cristo, nos tornamos parecidos com o Salvador. A palavra *cristão* remete a ser semelhante a Jesus.

Cristo deu a vida por você. Ao ser cravado na cruz, ele tomou a sua vida pecaminosa e má e a crucificou com ele. Mas Jesus não parou na morte. Pelo poder da ressurreição, o Senhor o tornou nova criatura, deu-lhe nova vida e novo coração. A Bíblia diz que, da mesma forma que fomos crucificados com Cristo, com ele fomos ressuscitados. Na cruz perdemos a vida e, na ressurreição, ganhamos a vida eterna. Por isso, podemos viver a plenitude de Deus e experimentá-la em todos os relacionamentos.

Reflita

O novo nascimento

Só quem nasceu de novo, isto é, morreu para a velha realidade da vida e ressuscitou para a nova, é capaz de priorizar os relacionamentos, conforme apontado neste capítulo. Não adianta ter boas intenções, ser uma pessoa amável, frequentar igrejas e participar de grupos de estudo se não tiver uma experiência de regeneração, se não nascer de novo.

Jesus disse ao fariseu Nicodemos que, se ele não nascesse de novo, não poderia ver o reino de Deus. E isso continua sendo realidade para cada pessoa nascida no planeta: sem morrer para o pecado e nascer para Deus ninguém herdará a vida eterna. Portanto, esse é um milagre que você precisa viver.

Só quem é nova criatura, quem já experimentou a natureza divina e teve o coração transformado é capaz de amar plenamente a Deus, ao cônjuge e à família, ser um bom profissional e um ministro usado nas mãos do Senhor. Por isso, se você ainda não entregou sua vida a Jesus, eu o convido a assumir esse compromisso. Como? Diga ao Senhor: "Deus, estou arrependido de minha vida de pecados e quero experimentar o milagre do novo nascimento. Por isso, confesso-te, Jesus, como meu Senhor e Salvador e a ti entrego minha vida. Amém".

Agora inicie uma caminhada de vida pautada pela ética de Jesus. Busque conhecer as verdades bíblicas, procure uma igreja onde possa crescer espiritualmente pelo contato com cristãos mais antigos na fé e praticar as boas obras decorrentes da salvação.

Ponha em prática

Neste capítulo, vimos como é importante priorizar os relacionamentos para ter uma vida plena e ajustada à vontade de Deus. Como forma de motivá-lo a praticar os conceitos aqui apresentados, proponho uma dinâmica: liste três atitudes que podem ajudá-lo a melhorar o relacionamento com pessoas diferentes e tente colocá-las em prática ainda esta semana.

No seu relacionamento com Deus:
Ter uma rotina de oração, ter como hábito a leitura da Bíblia, congregar em uma igreja, tirar um momento durante a semana para fazer um culto doméstico, _____
_____
_____
_____
_____
_____
_____
_____.

No seu relacionamento com o cônjuge:
Dialogar mais, fazer algo que o agrade, tirar um tempo para ficar a sós, orar juntos, _____
_____
_____
_____
_____
_____
_____
_____.

No seu relacionamento com os pais:
Telefonar para saber como estão, levar os netos para visitá-los, preparar um jantar em casa para eles, _____
_____
_____
_____
_____
_____
_____ .

No seu relacionamento com os filhos:
Perguntar como se sentem, orar com eles, demonstrar-lhes afeto e carinho, ser mais paciente, _____
_____
_____
_____
_____
_____
_____ .

No seu relacionamento com o patrão ou o chefe:
Dispor-me a realizar uma tarefa da qual ninguém deseja desincumbir-se, entregar um relatório completo do meu último projeto, oferecer-me para ajudá-lo em tarefas já finalizadas, _____
_____
_____
_____
_____
_____
_____ .

No seu relacionamento com os funcionários:
Mostrar-me mais disponível e aberto a receber sugestões e críticas, tirar dúvidas, atentar para as necessidades deles, reconhecer seu desempenho, _____
_____
_____
_____
_____
_____
_____
_____ .

No seu relacionamento com pessoas em geral:
Ficar atento às necessidades das pessoas ao meu redor, demonstrar compaixão pelo próximo, perguntar aos vizinhos se precisam de alguma coisa, sorrir e cumprimentar as pessoas, _____
_____
_____
_____
_____
_____
_____
_____ .

Capítulo 2
Arrependimento e mudança de vida

Tente mover o mundo. O primeiro passo será mover a si mesmo.

Platão

Existe, ainda, outra prioridade na caminhada de todo que deseja crescer e evoluir. Assim como relacionamentos são prioritários para uma vida pautada pelos padrões divinos, arrependimento dos erros cometidos no passado é essencial na busca pela mudança de vida.

Todas as pessoas que passaram pelo processo do novo nascimento terão necessariamente que mostrar essa transformação naquilo que pensam e fazem, levando uma vida justa e reta. Não se pode viver relacionamentos maduros e frutíferos se o que fazemos está em dissonância com o que Deus espera de nós. E isso só pode ser corrigido pelo arrependimento e pela mudança pessoal.

Como cristão, meu maior anseio é ver repetir-se, hoje, o modelo de Igreja descrito no livro bíblico de Atos dos Apóstolos. Conhecida também como *Igreja primitiva*, reunia todos aqueles que aceitaram Jesus como Senhor e Salvador de sua vida após terem ouvido a pregação dos apóstolos e dos primeiros discípulos.

Apesar de reprimida e perseguida pelo Império Romano até o ano 313 (quando um édito do imperador Constantino acabou oficialmente com a perseguição à fé cristã), a Igreja primitiva permaneceu firme, levou a mensagem do evangelho de Cristo à África, à Ásia e à Europa, e não parou de crescer, graças aos esforços missionários dos primeiros seguidores de Jesus.

Se por um lado os cristãos daquela época experimentaram todo tipo de infortúnio, enfrentando torturas e martírio por causa do evangelho, por outro vivenciaram, em paralelo, a manifestação do poder de Deus por meio de incontáveis milagres, do arrependimento genuíno dos recém-convertidos e do amor inabalável que os envolvia, além de grande sede da presença de Deus.

Infelizmente, em nossos dias, grande parte da Igreja de Jesus não tem demonstrado esse mesmo espírito. Aparentemente, muitos perderam a referência do que significa ser parte da família de Deus, esquecendo-se daquele modelo de vida deixado pelos primeiros cristãos. Hoje, o que prevalece são crenças desgovernadas e todo tipo de culto. Baseadas em templos luxuosos e prédios enormes, muitas igrejas deixaram para trás a essência do cristianismo.

E qual seria essa essência? Mais uma vez é o apóstolo Paulo quem nos dá a resposta:

> O mistério que estivera oculto dos séculos e das gerações; agora, todavia, se manifestou aos seus santos; aos quais Deus quis dar a conhecer qual seja a riqueza da glória deste mistério entre os gentios, isto é, Cristo em vós, a esperança da glória; o qual nós anunciamos, advertindo a todo homem e ensinando a todo homem

em toda a sabedoria, a fim de que apresentemos todo homem perfeito em Cristo.

Colossenses 1.26-28

Gosto muito desta expressão: "Cristo em vós, a esperança da glória" (v. 27), pois, para mim, ela resume a essência do evangelho de Jesus, que é permitir que Cristo se faça presente por meio dos cristãos. A Bíblia afirma:

> Deus ungiu a Jesus de Nazaré com o Espírito Santo e com poder, o qual andou por toda parte, fazendo o bem e curando a todos os oprimidos do diabo, porque Deus era com ele.
>
> Atos 10.38

Assim como a vida de Jesus resplandecia a luz de Deus, temos de resplandecer a luz de Cristo, levando uma vida correta e apresentando-nos como Igreja inabalável, sem mácula, que não tem do que se envergonhar.

Para isso, precisamos experimentar mais do que uma religiosidade mecânica e vazia; precisamos permitir que Cristo seja nossas mãos, nossos pés, nossa boca, nosso olhar. Em resumo: tudo em nós. Cristianismo é isto: viver a vida de Jesus na terra, andar como ele andou, amar como ele amou e deixar que a semente da Palavra de Deus floresça através de nós. A Palavra do Senhor é como uma semente (cf. Mt 13.19), plantada em nosso coração para dar fruto. Jesus disse:

> Eu sou a videira verdadeira, e meu Pai é o agricultor. Todo ramo que, estando em mim, não der fruto, ele o corta; e todo o que dá fruto limpa, para que produza mais fruto ainda. Vós já estais limpos pela palavra que vos tenho falado; permanecei em mim, e eu permanecerei em vós. Como não pode o ramo produzir fruto de si mesmo, se não permanecer na videira, assim, nem vós o podeis dar, se não permanecerdes em mim. Eu sou a videira,

vós, os ramos. Quem permanece em mim, e eu, nele, esse dá muito fruto; porque sem mim nada podeis fazer.

João 15.1-5

Quando permanecemos em Cristo, isto é, quando nascemos de novo, passamos a ser alimentados pela seiva, que é a vida de Cristo. Florescemos e damos fruto porque ele vive em nós. Já não pertencemos a nós mesmos; antes, fazemos tudo o que ele nos ordenou, porque já não lutamos pelos próprios interesses, mas pelo que é do outro. Foi exatamente isso que Jesus fez: andou por toda parte fazendo o bem.

"Cristo em nós, a esperança da glória" é uma realidade que demonstra o amor de Deus quando as pessoas nos olham e experimentam esperança, alegria e paz. Pois, por onde Jesus andou, ele transmitiu isso:

> Deus ungiu a Jesus de Nazaré com o Espírito Santo e com poder, o qual andou por toda parte, fazendo o bem e curando a todos os oprimidos do diabo, porque Deus era com ele.
>
> Atos 10.38

Portanto, devemos ser como o Senhor é, e não apenas nos rotularmos segundo títulos que nos definem, mas não representam, necessariamente, o que somos. Não basta dizer que somos católicos, budistas, muçulmanos, evangélicos ou o que for, quando nos perguntarem qual é nossa religião; é preciso viver conforme aquilo que nos define. Em nosso caso, Jesus.

Não somos meramente adeptos de uma religião — até porque Deus nunca quis ser representado neste mundo por uma religião, mas, sim, por uma grande família. Deus não tem compromisso com religiões; ele tem compromisso com seus filhos. O que nos leva, naturalmente, a uma pergunta: quem, exatamente, são aqueles que o Senhor adota como filhos?

> *Assim como a vida de Jesus resplandecia a luz de Deus, temos de resplandecer a luz de Cristo, levando uma vida correta e apresentando-nos como Igreja inabalável, sem mácula, que não tem do que se envergonhar.*

Quem são os filhos de Deus?

Os filhos de Deus são as pessoas que aceitaram Jesus como seu Senhor e Salvador e que, por isso, têm comunhão e relacionamento com ele. Eles se arrependeram dos erros do passado e mudaram de vida, tornando-se seus embaixadores neste mundo. A Bíblia define com clareza quem pode ser chamado de filho do Altíssimo:

> ... a todos quantos o receberam, deu-lhes o poder de serem feitos filhos de Deus, a saber, aos que creem no seu nome; os quais não nasceram do sangue, nem da vontade da carne, nem da vontade do homem, mas de Deus.
>
> João 1.12-13

Gosto da expressão "deu-lhes o poder", porque mostra exatamente o que Cristo fez pela humanidade. Estávamos mortos para Deus após o pecado, pois o salário do pecado é a morte (cf. Rm 6.23), mas, por meio do sacrifício de Jesus na cruz do Calvário, fomos reconciliados com Deus e, mais que isso, fomos adotados por ele e nos tornamos seus filhos. Ou seja, mediante o relacionamento com o Criador, a criatura não somente é regenerada, como tem seu vínculo estreitado com ele. Isso ocorre porque, pelo poder de

Deus, somos incluídos em sua família e feitos filhos. Isso é glorioso!

O melhor de tudo é que não partiu de nós a decisão de nos transformar de meros seres criados em filhos adotados, de nos arrependermos e mudarmos de vida; partiu dele. Jesus disse: "Não fostes vós que me escolhestes a mim; pelo contrário, eu vos escolhi a vós outros" (Jo 15.16). Ele nos escolheu quando ainda estávamos mortos espiritualmente pelas nossas transgressões:

> Ele vos deu vida, estando vós mortos nos vossos delitos e pecados, nos quais andastes outrora, segundo o curso deste mundo, segundo o príncipe da potestade do ar, do espírito que agora atua nos filhos da desobediência; entre os quais também todos nós andamos outrora, segundo as inclinações da nossa carne, fazendo a vontade da carne e dos pensamentos; e éramos, por natureza, filhos da ira, como também os demais. Mas Deus, sendo rico em misericórdia, por causa do grande amor com que nos amou, e estando nós mortos em nossos delitos, nos deu vida juntamente com Cristo — pela graça sois salvos.
>
> Efésios 2.1-5

Jesus morreu na cruz por nós antes que pudéssemos tomar qualquer decisão por ele. Ele nos amou primeiro! Sim, somos amados pelo Senhor. E a única atitude que precisamos tomar é nos arrepender dos erros cometidos, de tudo aquilo que fizemos e fazemos e que transgride a vontade do Senhor. Quando assim agimos, nos tornamos filhos e passamos a fazer parte da família de Deus; Jesus se torna o primogênito entre muitos irmãos:

> Porquanto aos que de antemão conheceu, também os predestinou para serem conformes à imagem de seu Filho, a fim de que ele seja o primogênito entre muitos irmãos.
>
> Romanos 8.29

Portanto, o único passo que precisamos dar é em direção ao arrependimento. A Bíblia relata essa realidade em um episódio em que o apóstolo Pedro se levantou em poder e plenitude do Espírito Santo e declarou às pessoas como elas poderiam se tornar filhas de Deus:

> Ouvindo eles estas coisas, compungiu-se-lhes o coração e perguntaram a Pedro e aos demais apóstolos: Que faremos, irmãos? Respondeu-lhes Pedro: Arrependei-vos, e cada um de vós seja batizado em nome de Jesus Cristo para remissão dos vossos pecados, e recebereis o dom do Espírito Santo. Pois para vós outros é a promessa, para vossos filhos e para todos os que ainda estão longe, isto é, para quantos o Senhor, nosso Deus, chamar. Com muitas outras palavras deu testemunho e exortava-os, dizendo: Salvai-vos desta geração perversa. Então, os que lhe aceitaram a palavra foram batizados, havendo um acréscimo naquele dia de quase três mil pessoas. E perseveravam na doutrina dos apóstolos e na comunhão, no partir do pão e nas orações. Em cada alma havia temor; e muitos prodígios e sinais eram feitos por intermédio dos apóstolos. Todos os que creram estavam juntos e tinham tudo em comum. Vendiam as suas propriedades e bens, distribuindo o produto entre todos, à medida que alguém tinha necessidade. Diariamente perseveravam unânimes no templo, partiam pão de casa em casa e tomavam as suas refeições com alegria e singeleza de coração, louvando a Deus e contando com a simpatia de todo o povo. Enquanto isso, acrescentava-lhes o Senhor, dia a dia, os que iam sendo salvos.
>
> Atos 2.37-47

Esta é a mensagem do cristianismo: arrependimento e salvação, seguidas de mudança de vida. Somente assim é possível conduzir as pessoas ao reino de Deus de forma genuína. Pedro não ordenou: "Mudem de religião, venham para o cristianismo". Nada disso. Diante de diferentes povos, de todos os tipos de crenças e culturas, gregos, asiáticos e africanos, ele foi categórico: arrependam-se, pois é o arrependimento que vai trazê-los para o reino de Deus. E, posteriormente, tornou a dizer:

> Arrependei-vos, pois, e convertei-vos para serem cancelados os vossos pecados.
>
> Atos 3.19

É essa a atitude que nos transforma em filhos de Deus e nos torna cidadãos do reino. Não é mudar de igreja ou de religião; nem acreditar num evangelho "água com açúcar", como muitos vêm pregando nestes dias, segundo o qual não há necessidade de arrependimento nem de mudança de natureza.

Arrependimento é o caminho que leva as pessoas ao reino de Deus, mas requer mudança de mentalidade. O apóstolo Paulo escreveu:

> E não vos conformeis com este século, mas transformai-vos pela renovação da vossa mente, para que experimenteis qual seja a boa, agradável e perfeita vontade de Deus.
>
> Romanos 12.2

Só vive o arrependimento quem passa por uma mudança de mentalidade e já não enxerga a vida sob a ótica do mundo, mas pela fé: "Ora, a fé é a certeza de coisas que se esperam, a convicção de fatos que se não veem" (Hb 11.1). É a fé em Jesus e na obra que ele realizou na cruz que produz em nós arrependimento e mudança de mente, fazendo-nos experimentar a boa, agradável e perfeita vontade de Deus.

Jesus morreu na cruz por nós antes que pudéssemos tomar qualquer decisão por ele. Ele nos amou primeiro! Sim, somos amados pelo Senhor. E a única atitude que precisamos tomar é nos arrepender dos erros cometidos.

Arrependimento não é remorso

É de vital importância destacar um aspecto essencial do arrependimento que conduz à mudança de vida: *arrependimento não é o mesmo que remorso*. Remorso é a vergonha de ser descoberto em pecado. Arrependimento é um sentimento profundo de tristeza por um erro cometido — muitas vezes, sem que esse sequer tenha sido descoberto — e que necessariamente vai levar a uma mudança de vida.

Quando há arrependimento, há mudança de mentalidade. É o que a Bíblia chama de *metanoia*, uma palavra grega cujo significado está relacionado à mudança na maneira de pensar e agir. O arrependimento promove, portanto, uma revolução de pensamento e ação. Caso contrário, é apenas remorso. Portanto, a função da Igreja de Jesus é pregar às pessoas o evangelho do arrependimento e falar do amor de Deus, que foi tão grande a ponto de dar o seu filho amado, Jesus:

> Porque Deus amou ao mundo de tal maneira que deu o seu Filho unigênito, para que todo o que nele crê não pereça, mas tenha a vida eterna.
>
> João 3.16

Nesse trecho da Bíblia, há outro aspecto da salvação que me enche de fé: *Deus deu*. O Senhor entregou, ofertou, ofereceu o que tinha de mais precioso — seu único filho — para que ganhássemos a vida eterna. Que prova de amor! Jesus não tinha pecado algum e se fez maldição por nós para que pudéssemos voltar àquele relacionamento com o Pai que perdemos com a transgressão da humanidade. A única atitude que precisamos ter para tomar posse dessa salvação é arrepender-nos. Isso gera temor em meu coração, pois percebo quão grande foi o sacrifício de Jesus por nós. Mesmo assim, muitas pessoas escolhem dizer *não*, preferem negar Jesus. Eu escolho viver esse arrependimento. Porque um amor como esse gera em mim arrependimento; o amor de Jesus me alcançou, é um amor que me constrange.

Essa também foi a escolha daqueles indivíduos que ouviram a mensagem pregada por Pedro: arrependam-se! Em seguida, elas perguntaram: "O que faremos agora?", e Pedro respondeu: "Agora vocês precisam ser batizados". Após o arrependimento, o cristão passa pelo batismo nas águas. João Batista, primo de Jesus, é um exemplo: ele anunciava a chegada do reino de Deus e pregava o arrependimento; em seguida, batizava aqueles que criam, de modo que o próprio Jesus se deixou ser batizado por ele. Portanto, o batismo é a demonstração do compromisso firmado com Deus. Primeiro vem o arrependimento, depois o compromisso de mudar de vida.

---

*Arrependimento é o caminho que leva
as pessoas ao reino de Deus, mas requer
mudança de mentalidade.*

O batismo nas águas é a maneira simbólica de as pessoas tornarem pública a fé em Jesus e a nova vida que passam a ter. Infelizmente, muitos cristãos em nossos dias não entendem o simbolismo do batismo, ou se esquecem do que ele significa. Ao descermos às águas, estamos demonstrando publicamente que morremos para as inclinações malignas da carne e, ao ressurgirmos, que nascemos em Cristo, como novas criaturas e filhos do Pai celestial. Estamos declarando que já não vivemos para nós mesmos;

que morremos para o mundo e agora vivemos para o Senhor. Esse é o significado do batismo.

Enquanto na época da Igreja descrita em Atos dos Apóstolos quem demonstrava que Jesus Cristo era o Senhor de sua vida por meio do batismo estava disposto a ser lançado à arena para ser morto por leões, hoje muitos que se convertem pensam, equivocadamente, que não é preciso abrir mão de nada, muito menos mudar algo em sua vida. Há muitos cristãos que pensam: para que preciso mudar, se Deus ama o pecador? Paulo condenava essa ideia, infelizmente ainda muito atual, de que é possível seguir Cristo e manter práticas deliberadas de pecado. O apóstolo, aliás, é enfático quando se refere a esse pensamento equivocado:

> Que diremos, pois? Permaneceremos no pecado, para que seja a graça mais abundante? De modo nenhum! Como viveremos ainda no pecado, nós os que para ele morremos? Ou, porventura, ignorais que todos nós que fomos batizados em Cristo Jesus fomos batizados na sua morte? Fomos, pois, sepultados com ele na morte pelo batismo; para que, como Cristo foi ressuscitado dentre os mortos pela glória do Pai, assim também andemos nós em novidade de vida. Porque, se fomos unidos com ele na semelhança da sua morte, certamente, o seremos também na semelhança da sua ressurreição, sabendo isto: que foi crucificado com ele o nosso velho homem, para que o corpo do pecado seja destruído, e não sirvamos o pecado como escravos; porquanto quem morreu está justificado do pecado. Ora, se já morremos com Cristo, cremos que também com ele viveremos, sabedores de que, havendo Cristo ressuscitado dentre os mortos, já não morre; a morte já não tem domínio sobre ele. Pois, quanto a ter morrido, de uma vez para sempre morreu para o pecado; mas, quanto a viver, vive para Deus. Assim também vós considerai-vos mortos para o pecado, mas vivos para Deus, em Cristo Jesus. Não reine, portanto, o pecado em vosso corpo mortal, de maneira que obedeçais às suas paixões; nem ofereçais cada um os

membros do seu corpo ao pecado, como instrumentos de iniquidade; mas oferecei-vos a Deus, como ressurretos dentre os mortos, e os vossos membros, a Deus, como instrumentos de justiça. Porque o pecado não terá domínio sobre vós; pois não estais debaixo da lei, e sim da graça. E daí? Havemos de pecar porque não estamos debaixo da lei, e sim da graça? De modo nenhum!

Romanos 6.1-15

Precisamos andar em novidade de vida. Mortos para o Diabo, agora vivemos para Deus. O pecado não tem mais domínio sobre nós, já não faz parte da nossa natureza, embora esteja sempre espreitando. Estamos debaixo da graça! E, justamente por causa da abundante graça de Deus, escolhemos abandonar o pecado.

Não é que a pessoa que se converteu não vá mais pecar ao longo da vida. O que isso quer dizer é que quem nasceu de novo não tem fome de pecado. É como comparar uma pomba a um urubu: a pomba se alimenta de sementes; já o urubu come carniça, carne em decomposição. Eles ingerem coisas diferentes porque possuem naturezas diferentes. Assim somos nós: tínhamos a natureza do pecado, mas agora somos coparticipantes da natureza divina (cf. 1Pe 1.4). Nossa natureza é a natureza de Deus, santa e irrepreensível. Portanto, não temos mais fome de pecado. É a Palavra que produz em nós arrependimento e mudança de vida, que gera vida no coração e produz crescimento.

A Palavra de Deus é como um espelho que nos mostra quem somos (cf. Tg 1.23). Quando nos olhamos sob o prisma da Palavra, o Espírito Santo nos faz perceber nossa verdadeira identidade e como está nossa vida.

> *O pecado não tem mais domínio sobre nós, já não faz parte da nossa natureza, embora esteja sempre espreitando. Estamos debaixo da graça! E, justamente por causa da abundante graça de Deus, escolhemos abandonar o pecado.*

Cultura humana e cultura do céu

Quando estive em Paris, anos atrás, visitei os principais monumentos da cidade. Conheci a Catedral de Notre-Dame, onde Napoleão foi declarado imperador; a Igreja Sagrado Coração de Jesus, cujas pinturas são feitas em ouro, entre outros lugares. Após nos acompanhar até alguns desses monumentos, o pastor Samuel, que nos recebeu, levou-nos a outro lado de Paris, pouco conhecido pelos turistas. Foi então que comecei a chorar em meu coração.

Apesar de a cidade ser fantástica, muito bem estruturada e arborizada, alguns bairros são palco de prostituição e pornografia, praticadas em plena luz do dia. Desde as nove horas da manhã, prostitutas se posicionam nas calçadas à espera de clientes, homens beijam homens nas ruas, sem pudor, e cinemas passam filmes pornográficos o dia todo. Depois de rodar a cidade inteira, espantei-me de não ver nenhuma igreja evangélica: fora as católicas romanas, vi apenas uma igreja anglicana, vazia e silenciosa.

Enquanto observava tudo isso, meu coração doía profundamente. Embora a Europa tenha sido o berço do protestantismo, nela restou apenas história; o que predomina naqueles países hoje é uma filosofia pagã capitalista. Pagã porque o deus deles é o dinheiro, e capitalista porque pensam apenas em ter lucro para benefício próprio. É um racionalismo ateu. As pessoas abandonaram Deus, e não há na mente delas nenhum conceito divino. Na visão dessa sociedade, ele não existe e não lhe interessa. A cultura, portanto, é antropocêntrica, isto é, voltada apenas para o homem, que valoriza o homem pelo homem.

Outra coisa que me chamou a atenção foi o desaparecimento de crianças. Estávamos na lanchonete de um posto de gasolina e notei a fotografia de uma menina de cerca de 9 anos que se encontrava desaparecida. Então perguntei à atendente do caixa sobre a foto. Ela me explicou que o desaparecimento de crianças é um problema generalizado na França e na Europa como um todo. Por ano, cerca de um milhão de crianças desaparece na União Europeia. Enquanto a Igreja dorme, crianças estão sendo sequestradas. A filosofia satânica aumenta avassaladoramente naqueles países. No Brasil, já se fala em algo parecido: a cada onze minutos uma criança desaparece.

Não encontrei muitos discípulos de Jesus na França. Temos de ser capazes de compartilhar os propósitos do coração de Deus. Devemos ser homens e mulheres sérios, que desejam ver a Igreja de Jesus voltar a viver, como foi destinada a viver. Faço parte de um grupo de homens de Deus que sonha ver este mundo evangelizado e alcançado pela graça de Cristo. O islamismo cresce mais na Europa do que em qualquer outro lugar do mundo. E nós?

Os dons e talentos que Deus nos tem dado servem para fazer discípulos. Que o Senhor nos ajude e nos capacite a cumprir esse propósito, análogo a um princípio estabelecido por ele desde a criação: "Frutificai, e multiplicai-vos, e enchei a terra, e sujeitai-a" (Gn 1.28, RC). Esses foram os quatro mandamentos dados por Deus ao primeiro casal, Adão e Eva. De igual modo, o objetivo de Deus é que, conforme conheçamos sua graça, frutifiquemos, nos multipliquemos, enchamos a terra e a sujeitemos, aumentando, assim, o número daqueles que conhecem Cristo e governam junto com ele.

Continuei observando a cidade. Houve crescimento do movimento esotérico, com culto a deuses pagãos, à Lua e às estrelas; permissividade moral (no hotel em que minha esposa e eu estávamos hospedados, por exemplo, um canal de televisão exibia sexo explícito; tive de telefonar para a recepção do hotel e dispensar o canal); costumes anticristãos, violência e criminalidade. Aliás, é importante frisar que a violência e a criminalidade têm aumentado em todo lugar, e não só no Brasil.

É por tudo isso que temos de tomar cuidado para não consumir a cultura pagã como se fosse nossa. Moda, música e costumes sutilmente anticristãos vêm sendo assumidos pela Igreja muito facilmente, numa total inversão de valores. Sutil trabalho do inferno; e há cristãos achando que isso é o que há de melhor.

A Bíblia diz que não devemos nos amoldar ao padrão deste mundo (cf. Rm 12.2), mas ser renovados pela transformação da mente, isto é, por meio da Palavra. É isso o que temos de fazer. Observe a Igreja primitiva: apesar de suas imperfeições, ela incorporou imediatamente a Palavra de Deus ministrada pelos apóstolos e se desenvolveu com base nas verdades ministradas por eles. Uns ministravam para os outros; era assim que funcionava a Igreja do Senhor naqueles dias, e é esse o modelo que devemos seguir. É assim que devemos fazer. Pois, diante de uma sociedade tão decaída como a nossa, não temos outro caminho senão o do arrependimento e consequente mudança de vida.

> *Devemos ser homens e mulheres sérios, que desejam ver a Igreja de Jesus voltar a viver, como foi destinada a viver. Faço parte de um grupo de homens de Deus que sonha ver este mundo evangelizado e alcançado pela graça de Cristo.*

No dia em que quase três mil pessoas se converteram a Cristo por meio da pregação de Pedro (cf. At 2.14-40), a cidade onde estavam foi tremendamente impactada. E os quinhentos discípulos que testemunharam o momento em que Jesus ressuscitou foram os mesmos que começaram a cuidar daqueles novos convertidos. Assim, à medida que perseveravam na doutrina dos apóstolos, na comunhão, no partir do pão e nas orações, todos manifestaram dons e talentos para a edificação da Igreja. Isso nos ensina que, após o arrependimento e o batismo, o que nós, cristãos, devemos começar a experimentar é a manifestação de dons e talentos concedidos pelo Espírito Santo para edificação, fortalecimento e crescimento da Igreja.

À medida que nos permitimos ser usados pelo Senhor, o reino de Deus cresce, beneficiando todos ao nosso redor, desde irmãos em Cristo e familiares até colegas de classe e funcionários. E, claro, nós mesmos.

Meu desejo é que o cristianismo vivo não se torne no Brasil apenas uma lembrança de algo que passou, como está começando a ocorrer na Europa. Quando passar a nossa geração e não estivermos mais aqui, devemos ser lembrados como pessoas que se comprometeram em deixar raízes na história, por meio de uma Igreja que vive o amor de Cristo, alcança o próximo e forma discípulos. Essa é a cultura do céu.

Tal cultura só poderá ser estabelecida, porém, quando o evangelho não for pregado como mudança de religião apenas, mas como mudança de natureza. Porque, quando as pessoas mudam apenas de religião e não mudam de natureza, não deixam legado algum aos filhos e não formam discípulos. Vemos isso nesta geração, composta por muitos jovens ateus, incrédulos, humanistas; que não creem em nada a não ser naquilo que veem e tocam. Essa é a cultura do mundo.

> *Quando passar a nossa geração e não estivermos mais aqui, devemos ser lembrados como pessoas que se comprometeram em deixar raízes na história, por meio de uma Igreja que vive o amor de Cristo, alcança o próximo e forma discípulos. Essa é a cultura do céu.*

O que você espera? Que tipo de igreja você quer deixar? Prefere fazer parte apenas de um momento histórico ou de uma família? Chegou a hora de pôr em ação os dons e os talentos que Deus lhe deu a fim de abençoar outros e formar uma família forte, tornando-se um instrumento do Senhor em casa, no casamento, na profissão e no trabalho. Lembre-se: Deus lhe deu tudo isso para que você abençoe esta terra. Não para usar apenas em benefício próprio, mas para abençoar a sociedade, em suas mais variadas esferas, enquanto ele lhe dá o sustento necessário para viver. Esse é o grande desafio. Essa é a visão do reino de Deus. E você faz parte disso. Os dons e talentos que recebeu da parte do Senhor devem ser usados com esse propósito, a fim de que a cultura do céu seja estabelecida na terra. Mas, para isso, é preciso que você saiba quem é em Cristo.

As marcas do verdadeiro cristão

Vimos até aqui a necessidade do arrependimento e da mudança de vida, bem como quem são os filhos de Deus e como eles têm de manifestar seus dons e talentos em benefício da Igreja, de todos ao redor e de si mesmo. Falamos também sobre a essência do cristianismo e da Igreja primitiva, ressaltando diferenças entre a cultura do mundo e a cultura do céu. Agora, trataremos sobre as marcas de um verdadeiro cristão, isto é, o que caracteriza alguém que passou pelo arrependimento e teve sua vida transformada por Cristo. Uma passagem bíblica, em especial, é bastante significativa nesse sentido.

> Ora, antes da Festa da Páscoa, sabendo Jesus que era chegada a sua hora de passar deste mundo para o Pai, tendo amado os seus que estavam no mundo, amou-os até ao fim. Durante a ceia, tendo já o diabo posto no coração de Judas Iscariotes, filho de Simão, que traísse a Jesus, sabendo este que o Pai tudo confiara às suas mãos, e que ele viera de Deus, e voltava para Deus, levantou-se da ceia, tirou a vestimenta de cima e, tomando uma toalha, cingiu-se com ela. Depois, deitou água na bacia e passou a lavar os pés aos discípulos e a enxugar-lhos com a toalha com que estava cingido.
>
> Aproximou-se, pois, de Simão Pedro, e este lhe disse: Senhor, tu me lavas os pés a mim? Respondeu-lhe Jesus: O que eu faço não o sabes agora; compreendê-lo-ás depois. Disse-lhe Pedro: Nunca me lavarás os pés. Respondeu-lhe Jesus: Se eu não te lavar, não tens parte comigo. Então, Pedro lhe pediu: Senhor, não somente os pés, mas também as mãos e a cabeça. Declarou-lhe Jesus:
>
> Quem já se banhou não necessita de lavar senão os pés; quanto ao mais, está todo limpo. Ora, vós estais limpos, mas não todos. Pois ele sabia quem era o traidor. Foi por isso que disse: Nem todos estais limpos.
>
> Depois de lhes ter lavado os pés, tomou as vestes e, voltando à mesa, perguntou-lhes: Compreendeis o que vos fiz? Vós me chamais o Mestre e o Senhor e dizeis bem; porque eu o sou.

> Ora, se eu, sendo o Senhor e o Mestre, vos lavei os pés, também vós deveis lavar os pés uns dos outros. Porque eu vos dei o exemplo, para que, como eu vos fiz, façais vós também. Em verdade, em verdade vos digo que o servo não é maior do que seu senhor, nem o enviado, maior do que aquele que o enviou. Ora, se sabeis estas coisas, bem-aventurados sois se as praticardes. Não falo a respeito de todos vós, pois eu conheço aqueles que escolhi; é, antes, para que se cumpra a Escritura: Aquele que come do meu pão levantou contra mim seu calcanhar. Desde já vos digo, antes que aconteça, para que, quando acontecer, creiais que EU SOU. Em verdade, em verdade vos digo: quem recebe aquele que eu enviar, a mim me recebe; e quem me recebe recebe aquele que me enviou.
>
> João 13.1-20

Naquela noite, Jesus decidiu passar a última Páscoa com os discípulos. Ele sabia que aquelas eram as horas derradeiras ao lado de seus amigos, antes de ser preso, crucificado e morto, portanto queria desfrutar delas da melhor forma possível, exercendo aquilo para que fora chamado: ser uma referência da vida e do amor de Deus por nós.

Aquela era uma noite especial para os judeus, em que se celebrava a festa da Páscoa, isto é, a saída do povo hebreu do Egito na época de Moisés. A partir daquele dia, porém, a Páscoa ganharia um novo significado para os cristãos: ela passaria a remeter à morte e à ressurreição de Jesus, para remissão dos pecados da humanidade. Isso mudaria tudo na vida daqueles homens e, claro, na de todas as pessoas que viessem a crer nele nos milênios seguintes.

Jesus trouxe novo significado à existência humana. Ele nos mostrou que podemos viver para atingir um propósito maior do que apenas objetivos egoístas. Ensinou-nos a olhar para o outro e a amá-lo, pois, com isso, amamos a nós mesmos. Assim, antes de partir o pão, Jesus quis que os discípulos aprendessem uma última lição, que determinaria quem eles se tornariam e o que fariam depois de o terem acompanhado por três anos em seu ministério terreno.

É interessante que, mesmo depois de todo esse tempo, alguns deles ainda não tinham se convertido de fato, ou seja, não haviam passado pelo novo nascimento (cf. Lc 22.11). É importante fazer essa distinção, pois ouvir as palavras de Jesus sem praticá-las não é conversão. "Aquele que tem os meus mandamentos e os guarda, esse é o que me ama" (Jo 14.21), disse Jesus. Assim, naqueles últimos instantes de sua vida, Cristo quis mostrar de forma prática o que os seus discípulos deveriam fazer dali para frente. E é a vontade de Deus que todos aprendam o que ele ensinou ali: do mesmo modo que o Senhor e Mestre lavou os pés dos discípulos, você e eu devemos lavar os pés uns dos outros.

> *Jesus trouxe novo significado à existência humana. Ele nos mostrou que podemos viver para atingir um propósito maior do que apenas objetivos egoístas. Ensinou-nos a olhar para o outro e a amá-lo, pois, com isso, amamos a nós mesmos.*

Muitas pessoas se dizem cristãs pelo simples fato de frequentarem por anos uma igreja, ou, talvez, por conhecerem todas as passagens das Escrituras. Mas a realidade é que esses indivíduos, em grande parte, não são nascidos de novo e, portanto, não podem ser considerados filhos de Deus e parte da Igreja de Cristo. Porque, apesar de conhecerem os mandamentos de Jesus, eles não os praticam, não os guardam em seu coração, não os vivem. A esse respeito, é bastante significativo o que a Palavra de Deus diz na carta de Tiago:

> Tornai-vos, pois, praticantes da palavra e não somente ouvintes, enganando-vos a vós mesmos. Porque, se alguém é ouvinte da palavra e não praticante, assemelha-se ao homem que contempla, num espelho, o seu rosto natural; pois a si mesmo se contempla, e se retira, e para logo se esquece de como era a sua aparência. Mas aquele que considera, atentamente, na lei perfeita, lei da liberdade, e nela persevera, não sendo ouvinte negligente, mas operoso praticante, esse será bem-aventurado no que realizar. Se alguém supõe ser religioso, deixando de refrear a língua, antes, enganando o próprio coração, a sua religião é vã. A religião pura e sem mácula, para com o nosso Deus e Pai, é esta: visitar os órfãos e as viúvas nas suas tribulações e a si mesmo guardar-se incontaminado do mundo.
>
> Tiago 1.22-27

Somos bem-aventurados não pelo conhecimento que temos, mas pelo que fazemos. Quando Jesus quis lavar os pés de Pedro e este não aceitou, o Senhor respondeu: "Se eu não te lavar, não tens parte comigo" (v. 8). Isso mostra que, para termos parte com Jesus, precisamos deixar que ele nos lave os pés, nos guie os passos e em nós coloque o mesmo sentimento que nele houve (cf. Fp 2.5), a fim de que sejamos capazes de andar como ele andou, manifestando seu amor.

Pedro, então, afirmou que Jesus poderia lavá-lo totalmente, e o Senhor lhe explicou que isso já havia acontecido. Quando o apóstolo foi até o Mestre, este o lavou e o purificou de todo o pecado mediante o novo nascimento proporcionado pela graça divina. Depois, se fez necessário que Pedro guardasse os mandamentos de Cristo e praticasse concretamente sua fé, pois "a fé sem obras é morta" (Tg 2.20).

Neste ponto, um aspecto precisa ser ressaltado. Muitos cristãos não atuam na comunidade em que estão inseridos porque ainda se veem sujos pelos pecados cometidos no passado. Pelo que acabamos de ver, é importante que aquele que se arrependeu e mudou de vida saiba que Jesus já o lavou e o redimiu, já o perdoou e fez dele nova criatura. Assim, não deve perder tempo, mas em vez disso permitir que Cristo lhe lave os pés. A partir daí, é seguir em frente. Todos aqueles que Deus chamou ao arrependimento são convidados, em seguida, para frutificar na terra.

Mas Jesus também queria ensinar seus discípulos a cuidar dos próprios pés, a fim de que se guardassem incontaminados do mundo. Isso é fundamental porque, se, por um lado, muitos cristãos ainda se sentem sujos, mesmo depois de terem sido lavados e redimidos pelo sangue do Cordeiro, por outro, há os que têm se deixado contaminar pela corrupção e imoralidade existentes na sociedade, despida de valores cristãos. O ato de Jesus tinha um único objetivo: ensinar seus discípulos a praticarem o amor e o serviço.

A Bíblia afirma que Jesus amou até o fim inclusive Judas Iscariotes, aquele que o traiu. Mesmo sabendo que a traição ocorreria em breve, o Senhor não deixou de amá-lo (cf. Jo 13.1). O ensinamento que Cristo queria deixar, portanto, também incluía bondade, até mesmo para com Judas, o traidor. Em geral temos dificuldade de amar sem limites aqueles que nos traem; mas Jesus não. Ele amou seu traidor até o fim. O amor dele por Judas não teve limites.

Amor e serviço. Essas são marcas que todo cristão deve ter. São elas que testificam nossa identidade, isto é, o conjunto de características que distinguem uma pessoa e por meio das quais é possível individualizá-la.

Todo ser humano precisa de identidade. E nossa identidade cristã é definida pelo que somos em Cristo Jesus. A Bíblia assim nos define:

> ... raça eleita, sacerdócio real, nação santa, povo de propriedade exclusiva de Deus, a fim de proclamardes as virtudes daquele que vos chamou das trevas para a sua maravilhosa luz.
> 1Pedro 2.9

Deus nos criou com um propósito, e para cumpri-lo precisamos conhecer nossa identidade. Quem não tem identidade não tem destino. Em outras palavras, quem não sabe quem é em Cristo também não sabe para onde vai, nem o que deve fazer. Por isso, precisamos, de uma vez por todas, saber quem somos na realidade do reino de Deus. É por isso que o apóstolo Paulo diz:

> Somos feitura dele, criados em Cristo Jesus para boas obras, as quais Deus de antemão preparou para que andássemos nelas.
> Efésios 2.10

Somos feitura dele! Em outras palavras, a regeneração nos torna obra, trabalho, produção, produto de Jesus. Nascemos de novo e fomos criados em Cristo para as boas obras. Nossa identidade, portanto, também determina o que pensamos, fazemos e deixamos de fazer.

Amor e serviço. Essas são marcas que todo cristão deve ter. São elas que testificam nossa identidade.

É importante frisar, ainda, que todo filho de Deus precisa se tornar discípulo de Jesus: "Nisto é glorificado meu Pai, em que deis muito fruto; e assim vos tornareis meus discípulos" (Jo 15.8). Quem não se torna discípulo de Cristo, produzindo bons frutos, permanece mero espectador, comportando-se como se a igreja fosse apenas um clube. Para muitos cristãos, hoje, a igreja funciona apenas como uma agremiação, onde se reúnem e usufruem benefícios. Se queremos carregar em nós as marcas de um verdadeiro cristão, temos de parar e pensar: por que vamos à igreja? Em busca de algo ou para levar algo? O que você vai buscar? E o que você leva? As respostas a essas perguntas também determinam sua identidade.

Quando frequentamos um clube, usamos a piscina, a quadra de esportes, a sauna e demais dependências. Cada um cuida da sua vida e não há muito envolvimento entre os sócios. Depois de um dia em que usufruíram os benefícios, os membros voltam para casa e tocam a vida, normalmente. Não há mal nenhum nisso, quando nos referimos a um clube.

Mas essa mesma rotina não pode ser aplicada na Igreja de Jesus. Ela é a família de Deus neste mundo, formada pelos filhos do Senhor, regenerados, nascidos de Deus, transformados em novas criaturas e recebedores do caráter e da natureza de Jesus, o filho primogênito do Pai celestial. Jesus é o primeiro da nova geração que recebeu a natureza divina, pois as Escrituras dizem que nos tornamos coparticipantes da natureza dele (cf. 2Pe 1.4).

Ser cristão é, portanto, ter participação na natureza de Deus. Como disse o apóstolo Paulo:

> Já estou crucificado com Cristo; e vivo, não mais eu, mas Cristo vive em mim; e a vida que agora vivo na carne vivo-a na fé do Filho de Deus, o qual me amou e se entregou a si mesmo por mim.
> Gálatas 2.20, RC

Se conseguirmos repetir essas mesmas palavras, estaremos dizendo que morremos para a velha natureza, para o passado, para o velho homem. Já não existimos, estamos crucificados com Cristo. E, da mesma forma que fomos crucificados com ele, também com ele ressuscitamos, para andar em novidade de vida:

> Assim que, se alguém está em Cristo, nova criatura é: as coisas velhas já passaram; eis que tudo se fez novo.
>
> 2Coríntios 5.17, RC

Estar em Cristo é ser nova criatura. Se alguém diz que está em Cristo e continua imoral, mentiroso e corrupto, infelizmente não entrará no reino de Deus, e não está em Cristo, de fato. Estar em Cristo significa arrepender-se das velhas práticas e mudar de vida; não é frequentar uma igreja. Quando Jesus vive em alguém, ele age poderosamente nessa pessoa, a ponto de a vida de ambos se confundirem. Esse é o verdadeiro cristianismo, o que faz a diferença.

Quem não se torna discípulo de Cristo, produzindo bons frutos, permanece mero espectador, comportando-se como se a igreja fosse apenas um clube. Para muitos cristãos, hoje, a igreja funciona apenas como uma agremiação, onde se reúnem e usufruem benefícios.

Devemos ir à igreja para oferecer a Deus o melhor que temos, isto é, Cristo em nossa vida. Devemos celebrar a vida dele em nós, para que sejamos capazes de expressá-la em todas as áreas da vida. Mas também vamos à igreja para entregar-lhe o melhor de nossa devoção, oferecer-lhe o melhor de nossa adoração, do nosso amor e do nosso serviço. Por fim, mas não menos importante, vamos à igreja para abençoar e cuidar dos irmãos.

Atente para os caminhos em que você tem andado. Em que lugares tem pisado? Qual é sua identidade? Quem lhe lava os pés? Quem cuida de você? É para isso que muitas igrejas criaram grupos menores, em que irmãos se reúnem para desfrutar a companhia de pessoas mais próximas. Essas células possibilitam que o discípulo de Cristo cresça em graça e conhecimento de Deus e se torne cada vez mais parecido com o Senhor. Quem vai cuidar das pessoas que estão ao nosso lado? Você e eu. Esse é o exemplo que Jesus nos deixou.

Cuidar das pessoas é conhecer as necessidades delas; é amá-las, servi-las e lavar-lhes os pés. Infelizmente, numerosas igrejas se tornaram ambientes onde as pessoas comentam os defeitos dos outros a fim de esconder os seus. Ao apontar para o outro, tiram a atenção de si. Isso não é Igreja. A Igreja de Jesus é a família de Deus, que cuida bem de si mesma. Você cuida bem dos seus filhos? Quando eles têm dificuldades na escola, o que você faz? Contrata uma professora particular, por exemplo. E quando um deles não está comendo direito ou está doente? Você o leva ao médico. Será que na igreja você faz o mesmo? Jesus orientou:

> Ora, se eu, sendo o Senhor e o Mestre, vos lavei os pés, também vós deveis lavar os pés uns dos outros.
>
> João 13.14

Essa é a função da Igreja. As pessoas mais maduras na fé cuidam das mais novas, e assim por diante, sempre lavando os pés dos menos experientes. É dessa maneira que a Igreja deve funcionar, zelando pelo cuidado uns dos outros. Ninguém é perfeito, mas a Igreja tem, sim, pessoas idôneas e amorosas, que querem servir e cuidar do próximo.

É Deus quem semeia seu amor nelas, e elas o conhecem por causa desse amor, porque Deus é amor.

Diante de tudo isso, pense no que você pode fazer para lavar os pés dos seus irmãos. É necessário inclinar o coração para servir às pessoas. O que falta para sentirmos a dor do outro? Cristianismo não é discurso; é serviço, é cuidar de seres humanos, é amar gente imperfeita e lavar-lhes os pés. Essa é a função da Igreja. Essas são marcas do verdadeiro cristão. É isso que demonstra que temos um coração como o de Cristo. E só quem passou pelo arrependimento e a mudança de vida tem um coração como o de Jesus.

A Igreja de Jesus é a família de Deus, que cuida bem de si mesma. Você cuida bem dos seus filhos? Quando eles têm dificuldades na escola, o que você faz? Contrata uma professora particular, por exemplo. E quando um deles não está comendo direito ou está doente? Você o leva ao médico. Será que na igreja você faz o mesmo?

Reflita

O cristianismo e a família

A fé cristã está a serviço da família. Como líder da minha família, tenho a responsabilidade de cuidar dela. A Bíblia diz que os pais entesouram para os filhos (cf. 2Co 12.14). São eles que reservam riquezas para repartir com a próxima geração. E não se trata apenas de recursos financeiros, mas de riquezas morais, intelectuais e espirituais. Essas são as verdadeiras riquezas que os pais deixam aos filhos. Os que não têm esse tesouro para repartir com eles os empobrecem, os deixam à míngua.

Nossa responsabilidade é acrescentar à família de Deus. Você e eu existimos para abençoar a família terrena e a celestial. Enquanto a responsabilidade para com um clube é praticamente nula, a ponto de poder abandoná-lo a qualquer momento, o mesmo não ocorre com a família. Não se muda de família quando não se gosta mais dela. Embora muitas pessoas o façam, não é o correto. É essencial cuidar da família. E a igreja é um lugar onde a família de Cristo se reúne para ser renovada na fé e cuidada uns pelos outros. Esse é o cristianismo de Jesus.

Ponha em prática

Com relação ao processo de arrependimento e mudança de vida ocorrido após o seu novo nascimento, complete os espaços abaixo.

Estas foram as principais mudanças que aconteceram na minha vida após a conversão:

_____
_____
_____
_____
_____
_____
_____
_____
_____
_____.

Estas são as mudanças que ainda precisam acontecer:

_____
_____
_____
_____
_____
_____
_____
_____
_____
_____
_____.

Como cristão, de que maneira posso usar os dons e talentos que Deus me deu a serviço do seu reino?

_____
_____
_____
_____
_____
_____
_____

Como posso refletir as marcas de Cristo em minha vida?

_____
_____
_____
_____
_____
_____
_____

Tenho priorizado a mudança de vida e dado a devida atenção a isso?

_____
_____
_____
_____
_____
_____
_____

Capítulo 3

Escolhas certas

> *Não posso escolher como me sinto, mas posso escolher o que fazer a respeito.*
>
> William Shakespeare

Uma vez que priorizamos os relacionamentos e passamos pelo processo de arrependimento e mudança de vida, devemos nos concentrar em outra ação prioritária e indispensável na caminhada de todos nós: fazer as escolhas certas.

Por que devemos priorizar as escolhas que fazemos? Porque as decisões que tomamos determinam o nosso futuro e o daqueles que nos rodeiam. Assim, para que possamos tomar decisões dentro da vontade de Deus, é importante conhecer bem aquilo que a Bíblia mostra como certo ou errado. Nesse sentido, analisar a história dos personagens das Escrituras pode contribuir muito para refletir sobre as decisões que tomamos ao longo da nossa trajetória.

Três desses personagens, em especial, são significativos quando falamos em fazer as escolhas certas. A observação de suas experiências é valiosa e, ao compreender seus erros e acertos, aprendemos lições importantes para nossa vida. Esses três homens são Acabe, Obadias e Elias.

Acabe era rei de Israel e Obadias, seu mordomo. O soberano israelita se casara com Jezabel, uma mulher pagã que levara todo tipo de impiedade para a nação israelita, como a adoração a Baal, uma divindade estrangeira. Ela era filha do rei dos sidônios, e seu casamento com Acabe teve como objetivo fortalecer a aliança entre Israel e a Fenícia. Depois do casamento, o rei adotou a religião da esposa e passou a adorar Baal. Como Israel tinha como regime de governo um reinado, o paganismo entrou não somente no lar real, mas disseminou-se também pela nação. As consequências dessa péssima escolha do rei foram desastrosas. Para compreender bem o que ocorreu, precisamos ler um trecho da Bíblia:

> E sucedeu que, depois de muitos dias, a palavra do Senhor veio a Elias no terceiro ano, dizendo: Vai e mostra-te a Acabe, porque darei chuva sobre a terra. E foi Elias mostrar-se a Acabe; e a fome era extrema em Samaria. E Acabe chamou a Obadias, o mordomo. (Obadias temia muito ao Senhor, porque sucedeu que, destruindo Jezabel os profetas do Senhor, Obadias tomou cem profetas, e de cinquenta em cinquenta os escondeu, numa cova, e os sustentou com pão e água.) E disse Acabe a Obadias: Vai pela terra a todas as fontes de água e a todos os rios; pode ser que achemos erva, para que em vida conservemos os cavalos e mulas e não estejamos privados dos animais.
>
> E repartiram entre si a terra, para passarem por ela; Acabe foi à parte por um caminho, e Obadias também foi à parte por outro caminho. Estando, pois, Obadias já em caminho, eis que Elias o encontrou; e, conhecendo-o ele, prostrou-se sobre o seu rosto e disse: És tu o meu senhor Elias? E disse-lhe ele: Eu sou; vai e dize a teu senhor: Eis que aqui está Elias. Porém ele disse: Em que pequei, para que entregues teu servo na mão de Acabe, para que me mate? Vive o Senhor, teu Deus, que não houve

nação nem reino aonde o meu senhor não mandasse em busca de ti; e dizendo eles: Aqui não está, então, ajuramentava os reinos e as nações, se eles te não tinham achado. E, agora, dizes tu: Vai, dize a teu senhor: Eis que aqui está Elias. E poderia ser que, apartando-me eu de ti, o Espírito do Senhor te tomasse, não sei para onde, e, vindo eu a dar as novas a Acabe, e não te achando ele, me mataria; porém eu, teu servo, temo ao Senhor desde a minha mocidade. Porventura, não disseram a meu senhor o que fiz, quando Jezabel matava os profetas do Senhor, como escondi a cem homens dos profetas do Senhor, de cinquenta em cinquenta, numas covas, e os sustentei com pão e água? E, agora, dizes tu: Vai e dize a teu senhor: Eis que aqui está Elias; ele me mataria.

E disse Elias: Vive o Senhor dos Exércitos, perante cuja face estou, que deveras hoje me mostrarei a ele. Então, foi Obadias encontrar-se com Acabe e lho anunciou; e foi Acabe encontrar-se com Elias. E sucedeu que, vendo Acabe a Elias, disse-lhe Acabe: És tu o perturbador de Israel? Então, disse ele: Eu não tenho perturbado a Israel, mas tu e a casa de teu pai, porque deixastes os mandamentos do Senhor e seguistes os baalins. Agora, pois, envia, ajunta a mim todo o Israel no monte Carmelo, como também os quatrocentos e cinquenta profetas de Baal e os quatrocentos profetas de Aserá, que comem da mesa de Jezabel.

Então, enviou Acabe os mensageiros a todos os filhos de Israel e ajuntou os profetas no monte Carmelo. Então, Elias se chegou a todo o povo e disse: Até quando coxeareis entre dois pensamentos? Se o Senhor é Deus, segui-o; e, se Baal, segui-o. Porém o povo lhe não respondeu nada.

1Reis 18.1-21, RC

A seca descrita nessa passagem foi consequência do casamento misto entre o fiel e a infiel; entre Acabe e Jezabel. Por influência da esposa, o rei irritou o Senhor mais do que todos os reis de Israel antes dele (cf.1Rs 16.33). Então, Deus levou o profeta Elias a profetizar a seca, que durou três anos.

Em nossos dias vemos situações semelhantes, em que, por exemplo, pessoas cristãs se casam com pessoas que não comungam da mesma fé. Casamentos assim são complicados, porque não há como conjugar as duas formas de pensar. É uma escolha equivocada, que influencia a vida toda. Não há consenso entre Cristo e o mundo; não há comunhão entre luz e trevas. Portanto, todo casamento em que um dos cônjuges não tem temor, compromisso ou aliança com o Pai celestial e não provou da graça regeneradora do Senhor é fadado a consequências nefastas. Se você é solteiro, ama a Deus e é nova criatura, cheia do Espírito Santo, faça a escolha certa e se case com uma pessoa que siga os mesmos princípios. A Bíblia é clara quanto a isso:

> Não vos ponhais em jugo desigual com os incrédulos; porquanto que sociedade pode haver entre a justiça e a iniquidade? Ou que comunhão, da luz com as trevas? Que harmonia, entre Cristo e o Maligno? Ou que união, do crente com o incrédulo? Que ligação há entre o santuário de Deus e os ídolos? Porque nós somos santuário do Deus vivente, como ele próprio disse: Habitarei e andarei entre eles; serei o seu Deus, e eles serão o meu povo. Por isso, retirai-vos do meio deles, separai-vos, diz o Senhor; não toqueis em coisas impuras; e eu vos receberei, serei vosso Pai, e vós sereis para mim filhos e filhas, diz o Senhor Todo-Poderoso.
>
> 2Coríntios 6.14-18

O próprio texto bíblico indaga que concórdia pode haver entre Cristo e o Maligno. Na mesma linha, surge o questionamento: que sociedade poderia existir entre o crédulo e o incrédulo? A Escritura usa um termo interessante para se referir a esse tipo de relacionamento: "jugo desigual". Jugo é aquela cangalha que se põe sobre o pescoço de dois animais de carga (em geral, bois, jumentos ou cavalos) para que puxem juntos um arado ou uma carroça. Assim, essa expressão se refere ao ato de pôr dois animais diferentes debaixo do mesmo jugo para puxar uma carga; uma escolha que não dá certo, porque animais com altura, força e ritmos diferentes jamais conseguirão puxar juntos a mesma carga.

> *As decisões que tomamos determinam o nosso futuro e o daqueles que nos rodeiam. Assim, para que possamos tomar decisões dentro da vontade de Deus, é importante conhecer bem aquilo que a Bíblia mostra como certo ou errado.*

Assim é em qualquer aliança que se estabeleça entre um cristão e um não cristão: eles não pensam da mesma forma, não caminham na mesma direção, não comungam dos mesmos valores e princípios e não compartilham da mesma crença. Por isso Paulo orientou os cristãos a se casarem apenas com alguém da família da fé.

Escolhas tão importantes podem e devem ser alvo de orientação por parte das pessoas mais experientes. Os pais, no caso, devem aconselhar os filhos e cuidar deles, ensinando-lhes o caminho em que devem andar, e alertando quanto aos perigos de assumir uma aliança com uma pessoa que não tem as mesmas prioridades de um cristão. Como pastor, sempre lembro aos pais que eles têm o papel de cuidar dos filhos. Muitos pais estão colhendo as consequências de casamentos desastrosos dos filhos porque não os alertaram, não tomaram providências, não intercederam, não oraram, não recomendaram. Depois não puderam fazer mais nada, naturalmente.

A Bíblia mostra o certo e o errado

Se nos apegarmos às Escrituras e mergulharmos em suas verdades, seremos capazes de discernir o certo do errado, segundo os padrões divinos. Usando ainda o exemplo do casamento, observemos o que diz o mandamento divino:

> ... Amarás o Senhor, teu Deus, de todo o teu coração [...] e: Amarás o teu próximo como a ti mesmo.
>
> Lucas 10.27

Esse texto nos mostra claramente que precisamos amar a Deus acima de tudo, com amor incomparável. É o amor a Deus que nos capacita a amar o próximo; neste caso, o cônjuge. Infelizmente, muitas mulheres de Deus sofrem por ter se casado com homens sem temor ao Senhor, que não conseguem amá-las porque não amam a Deus. Somente o homem que ama a Deus é capaz de amar a esposa como o evangelho propõe. Assim, a escolha do cônjuge é uma consequência direta do amor a Deus. O mesmo ocorre com as demais escolhas que fazemos na vida, como carreira, estudos, estilo de vida, caminhos a trilhar.

O rei Acabe escolheu voluntariamente desobedecer ao Senhor e se casar com Jezabel. Além disso, o rei escolheu assumir uma postura omissa, ao deixar nas mãos da mulher toda a responsabilidade de conduzir o reino. Acomodado, Acabe preferiu apenas usufruir os benefícios de ser rei em Israel, enquanto sua esposa introduzia na nação todo tipo de idolatria, ferindo os princípios que o Senhor havia estabelecido para seu povo (Dt 6.14). Escolhas erradas; consequências dolorosas.

Se eu pudesse descrever Acabe nos dias atuais, diria que ele era o tipo de homem que queria estar de bem com a vida, ter roupa lavada, comida à mesa e descansar, sem ser incomodado por ninguém. Ele escolheu uma vida sem compromisso, muito parecida com alguns homens de nossa época, que priorizam tudo, menos a família. Eles acreditam que a educação dos filhos e a organização da casa cabem à mulher; por isso, optam por não assumir a responsabilidade de liderar a família ou administrar o lar. Lembre-se: Deus vai requerer das mãos do homem, na eternidade, o destino daqueles que foram entregues à sua liderança. A mulher não responderá por isso, pois a responsabilidade de liderar foi dada ao homem, como o cabeça do lar. Cabe à mulher, por sua vez, viver em idoneidade e companheirismo na tarefa de ajudar a construir a família.

Há um padrão bíblico de certo e errado, e há também as escolhas individuais. Se essas não coadunarem com aquele, problemas certamente se apresentarão.

Quando penso nessas realidades, agradeço a Deus pelo ministério de minha esposa, Suely, que em todos os nossos anos de casamento nunca deixou de fazer o culto doméstico ou de ministrar o ensino das Escrituras aos nossos filhos. Não somos melhores que os demais, mas sempre optamos por zelar pela nossa casa. Você também tem de zelar pelos seus. Faça o que for preciso para que sua família esteja sempre aos pés do Senhor. Escolha viver em paz na sua casa, escolha lutar pela salvação dos seus filhos, escolha zelar pelo seu cônjuge. Não deixe que seu lar chegue ao ponto de não contar mais com a presença de Deus. Que o Senhor sempre encontre lugar em sua casa para fazer morada, e que o Espírito Santo sempre tenha espaço na vida da sua família.

Sinto dor no coração quando vejo homens e mulheres de Deus com a família desestruturada. Não permita que isso aconteça. Sua família foi gerada no coração de Deus, para ser referência às pessoas. E o bem-estar do cônjuge e dos filhos, e por conseguinte o seu, dependem das escolhas que você faz.

Um dos grandes problemas é que muitos são como Acabe, isto é, escolhem não enxergar o problema, e com isso a situação agrava-se. Não convém que seja assim. É preciso enfrentar a dificuldade. Não basta orar; é preciso escolher agir. Pare de se distrair com as coisas deste mundo, como a televisão, a internet, ou qualquer outra coisa que lhe esteja tirando o foco, e organize seu lar. Só depende de suas escolhas. Repare que a ocupação do tempo é fruto de suas escolhas.

Vivemos em uma época em que a cultura do entretenimento tomou conta dos lares. As pessoas não conversam mais à mesa. Cada uma se isola com uma tecnologia diferente, como televisão, computadores e *smartphones*. A família se distancia cada vez mais. Se temos de priorizar o relacionamento com Deus, o cônjuge e a família, temos de escolher como ocupar o tempo. O cônjuge e os filhos são mais importantes que qualquer assunto que estejamos acompanhando pela televisão ou internet; portanto, se escolhemos priorizar o que é secundário, semeamos problemas.

Muitas famílias estão desestruturadas porque permitiram que a falta de diálogo, serviço e amor alcançasse proporções inéditas. Em casos como esses, o melhor a fazer é parar, pedir perdão, preencher as lacunas e organizar o lar. Isso é ser cristão. É dar testemunho. E tudo depende das escolhas que fazemos, por isso devemos saber priorizá-las.

Não adianta aparentar socialmente uma realidade quando se vive outra. De que serve ir à igreja com um sorriso no rosto, por exemplo, fingindo que está tudo bem e viver um inferno dentro de casa? Precisamos viver o que pregamos. Porque ninguém dá crédito a alguém que diz uma coisa e vive outra, que não tem nada de positivo a mostrar em sua vida. Portanto, você e eu temos a responsabilidade de fazer as escolhas certas sob pena de nos tornarmos hipócritas. Deus nos deu o privilégio de desempenhar nosso papel nos diversos grupos sociais que frequentamos, pois ele tem certeza de que somos competentes para fazer o trabalho. Ele afirma: "Você tem capacidade de fazer escolhas certas e, se assim proceder, eu o abençoarei". Deus nos ajuda! Mesmo cometendo erros, seremos abençoados, porque o Senhor insiste conosco e nos capacita cada dia mais. Ele não desiste de nós, então não vamos desistir dos nossos também.

> *Há um padrão bíblico de certo e errado, e há também as escolhas individuais. Se essas não coadunarem com aquele, problemas certamente se apresentarão.*

A perigosa escolha pela neutralidade

É grande a quantidade de pessoas que vive um período de "seca" como consequência de pecados. Uma vez que alguém peca, tem uma escolha a fazer: persistir no erro ou se arrepender e abandonar a prática. Muitos, em vez de se levantar e mudar de postura, afundam-se cada vez mais no lamaçal do pecado. Assim foi com Israel. Mesmo alertados pelos profetas, o povo e a família real optaram por continuar adorando Baal e por abandonar o único Deus verdadeiro. A nação se rendeu por completo aos ídolos.

O texto desse relato começa com o anúncio do profeta Elias de que ocorreria uma grande seca, que traria fome e sede sobre a região durante três anos e meio. Foi exatamente o que aconteceu. Porém, em vez de o povo se arrepender dos pecados e clamar ao Senhor por ajuda, escolheu continuar adorando ídolos.

Por causa do papel ativo de Elias na seca, a rainha Jezabel se tornou sua inimiga mortal. Acabe, por sua vez, ficou desesperado e saiu no encalço do profeta para matá-lo. É no contexto do encontro de Elias com Acabe, três anos e meio depois, que surge Obadias. O mordomo do rei havia se mostrado um homem temente a Deus, ao proteger cem profetas de Israel da fúria de Acabe, tempos antes. Ele tinha compromisso com o Senhor e honrava o Deus de seus pais. Em contrapartida, Obadias não desejava perder os privilégios que usufruía na corte do rei idólatra. Embora fosse servo de Deus, também queria servir a Acabe.

Obadias representa aqueles cujas escolhas permanecem em cima do muro. Não decidem nem pela direita nem pela esquerda. Não dizem sim nem não. Pensam "é melhor ser amigo de Deus, mas vou manter a amizade com o Diabo". Não são, nem deixam de ser. Não se definem na vida cristã. Vem o tempo em que Deus não permitirá mais "obadias" no meio de seu povo, pessoas que tentam manter-se tanto sob a cobertura divina quanto sob a simpatia do Diabo.

Os "obadias" atuais estão divididos. Em crise. São pessoas que querem uma coisa a cada dia, numa espécie de esquizofrenia espiritual, uma doença da alma que tem assolado muitos cristãos cuja mente não é sadia, nem lúcida. São pessoas cujo pensamento ainda não está livre das informações, das impressões e dos hábitos do velho homem. Pessoas que continuam tentando prestar culto a Deus e aos demônios.

Obadias era assim. Amigo de Acabe e amigo de Elias. Ao encontrar-se com o profeta, temeu ser descoberto pelo rei e acabar morto. Ao mesmo tempo, quis ser cordial com o profeta e vangloriou-se de ter ajudado os profetas de Deus, como prova de que estava do lado dele. Atitudes ambíguas, palavras desencontradas. Elias, por sua vez, respondeu que ele é quem iria ao encontro de Acabe.

Embora admirasse Elias, Obadias não se posicionava contra Acabe. Sabia que Jeová era Deus, mas não cortava relações com Baal; escondera os cem profetas do Senhor, mas jamais havia se declarado publicamente em favor de Jeová. Escolheu a neutralidade.

E o que é ser neutro? É não posicionar-se nem a favor nem contra. Não tomar partido. É apresentar-se de maneira imprecisa, sem clareza. É recusar-se a ter comprometimento ou envolvimento com algo ou alguém. Essa é, infelizmente, a descrição de muitos cristãos. Quando confrontados com o padrão deste mundo, são imprecisos, não se posicionam nem contra nem a favor, não se comprometem com o evangelho. São neutros. A posição bíblica com relação a essa postura é: "Se o Senhor é Deus, segui-o. Mas se Baal é Deus, segui-o" (1Rs 18.21). Não há possibilidade de estar com o pé esquerdo em uma canoa e o direito, em outra, pois o indeciso fatalmente afundará, perecerá.

Note que os outros personagens dessa história já tinham se definido: Acabe já fizera sua escolha e Jezabel, ao lado dele, sempre soubera sua posição. Do lado oposto, Elias — apoiado por sete mil que não haviam dobrado os joelhos a Baal, mas que também não podiam aparecer sem ser mortos — estava decidido e não tinha dúvida quanto a quem seguir. O profeta sabia o que queria, quem era, para onde ia. Obadias, não. Preferia ser neutro, porque, na cômoda e privilegiada posição de neutralidade, não era preciso agir, a vida era muito mais tranquila. Por ser servo de Acabe, Obadias não fora perseguido como os profetas de Deus. Conseguiu poupar a própria vida. Porém, por causa do medo, perdeu a oportunidade de servir ao Senhor e de honrá-lo.

Nem sempre tranquilidade é sinônimo de paz. Elias vivia um turbilhão, mas estava em paz. Obadias, não. Vivia uma vida tranquila, mas o medo de ser descoberto e a dedicação a ambos os lados não o deixavam descansar em Deus. E você? Prefere paz ou tranquilidade? De que lado está? A quem escolhe servir? A Bíblia se posiciona, em Apocalipse, a respeito de posturas de neutralidade, como a de Obadias:

> E ao anjo da igreja que está em Laodiceia escreve: Isto diz o Amém, a testemunha fiel e verdadeira, o princípio da criação de Deus. Eu sei as tuas obras, que nem és frio nem quente. Tomara que foras frio ou quente! Assim, porque és morno e não és frio nem quente, vomitar-te-ei da minha boca. Como dizes: Rico sou, e estou enriquecido, e de nada tenho falta (e não sabes que és um desgraçado, e miserável, e pobre, e cego, e nu), aconselho-te que de mim compres ouro provado no fogo, para que te enriqueças, e vestes brancas, para que te vistas, e não apareça a vergonha da tua nudez; e que unjas os olhos com colírio, para que vejas. Eu repreendo e castigo a todos quantos amo; sê, pois, zeloso e arrepende-te. Eis que estou à porta e bato; se alguém ouvir a minha voz e abrir a porta, entrarei em sua casa e com ele cearei, e ele, comigo. Ao que vencer, lhe concederei que se assente comigo no meu trono, assim como eu venci e me

assentei com meu Pai no seu trono. Quem tem ouvidos ouça o que o Espírito diz às igrejas.

Apocalipse 3.14-22, RC

É preciso tomar uma posição. Jesus disse: "Ninguém pode servir a dois senhores" (Mt 6.24). Significa que Deus não poderá ser o Senhor da sua vida se você estiver com o coração voltado para o mundo. Você precisa decidir. Se quer servir ao Diabo, sirva. Se a Deus, sirva. Mas não tente se dividir entre os dois.

Ao optar por servir a Deus, você não pode mais dar lugar ao Diabo em sua vida; ele não tem como ocupar nenhum espaço em seu coração. Decida-se. Que tipo de amigos você quer, os de Deus ou os de Baal? Prefere andar com Elias ou com Acabe?

> *O que é ser neutro? É não posicionar-se nem a favor nem contra. Não tomar partido. É apresentar-se de maneira imprecisa, sem clareza. É recusar-se a ter comprometimento ou envolvimento com algo ou alguém. Essa é, infelizmente, a descrição de muitos cristãos.*

São muitos os que, hoje, vacilam na fé com medo de se indispor. Não se decidem, por medo de desagradar os outros. Preferem não definir sua posição em festas de família, aniversários ou casamentos. Às vezes, vou a algumas celebrações que não sei se foram feitas para glorificar a Deus ou ao Diabo. É sempre a mesma justificativa: "É porque eu tenho alguns parentes que não são cristãos e preciso agradá-los". Se você abre mão dos valores cristãos por causa de seus parentes, permita-me perguntar: e eles? Procuram agradá-lo? Provavelmente, não. Se eles têm de dizer um palavrão, o fazem na mesa da sua casa. Se sentem vontade de dizer que são ímpios, expõem isso na sua frente. Se são comprometidos com o pecado, declaram essa verdade sem o menor constrangimento. Você, por sua vez, não pode desagradá-los, posicionando-se como santo de Deus? Que cristianismo é esse? É uma religião morta, barata? Não precisamos disso. Precisamos de uma posição firme e decidida. O Senhor diz:

> Seja, porém, o vosso falar: Sim, sim; não, não, porque o que passa disso é de procedência maligna.
> Mateus 5.37, RC

Está na hora de você decidir a quem vai servir, quem é o seu Deus e a quem vai amar. Meu conselho: faça tudo para o nome de Deus ser glorificado e honrado, inclusive suas festas. Não tenha medo de definir sua posição. Não fique na neutralidade. O mal nunca é neutro. Os ímpios se calam tanto na hora de condenar o mal quanto na de proclamar o bem. E nós? Não oramos na frente dos outros para não parecer exagerados; não atacamos e rejeitamos o pecado para não sermos chamados de fanáticos. Com isso, nos tornamos condescendentes com o mundo a fim de manter uma relação tranquila com quem não professa a nossa fé. Deus, porém, exige definição.

> Mas, quanto aos tímidos, e aos incrédulos, e aos abomináveis, e aos homicidas, e aos fornicadores, e aos feiticeiros, e aos idólatras e a todos os mentirosos, a sua parte será no lago que arde com fogo e enxofre, o que é a segunda morte.
> Apocalipse 21.8, RC

Chega de tentar "fazer média" com Deus ou Baal. Se o Senhor é Deus, siga-o; se Baal é Deus, siga-o. Qual é a sua resposta? Qual é a sua decisão?

O poder da decisão

O apóstolo Paulo recomenda enfaticamente que os jovens pensem bem antes de se casar. Seu posicionamento com relação a um cristão fazer aliança com infiéis é muito claro. Afinal, que comunhão há entre Cristo e Belial, entre os que participam da mesa do Senhor e os que participam da mesa dos demônios? Participar da mesa dos demônios, aliás, não significa apenas frequentar cultos satanistas, de maneira nenhuma; é andar de acordo com a própria vontade, o que nos remete a Efésios 2.3, em que Paulo afirma que, antes de conhecer a Deus, éramos filhos da ira. E ele não diz isso porque fazíamos despachos ou sacrifícios de animais nas encruzilhadas, nem porque cultuávamos Satanás, mas porque vivíamos de acordo com a própria vontade, tomando decisões à revelia da vontade soberana do Criador.

Foi exatamente como aconteceu na queda do homem, no Éden. Quando Adão e Eva decidiram comer do fruto da árvore do conhecimento do bem e do mal, mesmo depois de Deus ter-lhes proibido, a humanidade escolheu fazer a própria vontade, em detrimento da de Deus. O Criador dissera não; Eva preferiu o sim. E essa decisão trouxe sérias consequências: dentre as descritas no capítulo 3 de Gênesis, a principal delas foi a morte espiritual e a expulsão da humanidade do jardim, pois sua escolha a afastou da presença de Deus.

Todas as decisões que tomamos ao longo da vida acarretam consequências, boas ou ruins. Nenhuma escolha se exime delas. Gosto da seguinte frase, atribuída ao poeta Pablo Neruda: "Você é livre para fazer suas escolhas, mas é escravo das consequências".

Outro aspecto importante ao estabelecer prioridades é compreender que escolher significa abrir mão. Fazemos isso o tempo todo: escolhemos uma profissão e não outra; uma casa em vez de outra; até mesmo um cônjuge, e não outro. Com Deus ocorre o mesmo. Quando optamos por fazer a vontade de Deus, estamos deixando todas as outras opções. Quando entendemos que a vontade de Deus é boa, perfeita e agradável para nós (cf. Rm 12.2), abrimos mão da nossa vontade para fazer a dele. Morrer para si mesmo é quando nada mais importa, senão a vontade do Pai. Essa é também uma escolha nossa. O poder da decisão está em nossas mãos.

Quando não servíamos a Deus, pensávamos: "Vivo do jeito que eu quiser, não tenho de dar satisfação a ninguém; faço o que bem entender com quem eu quiser; tomo a decisão que julgar melhor e ponto final". É lamentável que muitos ainda vivam assim. Não há limites. Não há regras. São pessoas que se deixam guiar pelos próprios sentimentos. Se em determinado dia desejam se relacionar com alguém, vão e o fazem. Se no outro não querem mais, vão embora. Se sentem vontade de beber, fumar e se drogar, não colocam empecilhos. Se não estão a fim de trabalhar, faltam ao emprego. Pessoas que vivem assim são, na verdade, controladas pelo Diabo, que sugere sutilmente que façam tudo o que ele deseja, fazendo-as pensar que se trata da vontade delas, que são donas de si.

Aqueles que se acham donos do próprio nariz, que acreditam não dever satisfação a ninguém, que se veem como donos de si, são os mais vulneráveis aos ataques de Satanás, porque tudo o que ele deseja é que você não faça a vontade de Deus, e sim a sua.

A questão, no entanto, é que não há meio-termo. Ou se está no reino da luz, ou no reino das trevas. Ou se serve a Deus, ou a Baal. Ou se faz a vontade de Deus ou a do Diabo. O mundo é regido por leis espirituais, quer as pessoas creiam, quer não. Então, a questão é: qual é a diferença entre fazer a vontade de Deus e fazer a própria vontade (que nada mais é do que seguir a cartilha do reino das trevas)? A diferença é que o Diabo veio para matar, roubar e destruir, enquanto Jesus veio para nos dar vida e vida em abundância (cf. Jo 10.10). Qual consequência para a sua vida você prefere?

> *Todas as decisões que tomamos ao longo da vida acarretam consequências, boas ou ruins. Nenhuma escolha se exime delas.*

Gosto muito de uma história ilustrativa que retrata um homem indeciso entre ficar na casa de Deus ou na do Diabo. Então, como não sabia o que fazer, escolheu ficar em cima do muro que dividia as duas casas. Quando subiu, um anjo começou a gritar desesperadamente para que descesse do muro e fosse para a casa de Deus, enquanto o demônio que estava do outro lado mantinha-se calado. Sem compreender por que o anjo gritava e o demônio nada dizia, o homem perguntou: "Ei, demônio, por que você está calado e não insiste para que eu escolha o seu lado?" A criatura das trevas respondeu: "Porque o muro é meu".

A conclusão dessa história é que a indecisão também é uma decisão. Você precisa tomar decisões ao ver-se diante de uma escolha. De que lado você vai ficar? Quando ainda não havíamos nos tornado filhos de Deus, éramos filhos da desobediência, filhos da ira, filhos do Diabo, do príncipe deste mundo (cf. Jo 16.11). Vivíamos de acordo com a vontade da carne e dos próprios pensamentos. Declarávamos: "Eu sou o meu próprio Deus, quem resolve a minha vida sou eu, e não tenho de dar satisfação a ninguém. Glórias ao meu nome".

Era assim que Acabe pensava e, por isso, experimentou a desgraça de um casamento malsucedido. Sua mulher não tinha aliança com Deus. O compromisso dela era com Baal. Mas, ainda assim, ele preferiu dizer não à vontade de Deus, e sim à própria vontade, casando-se com Jezabel.

Baal representava a principal divindade masculina dos cananeus e dos fenícios, adorado em troca de prosperidade. O compromisso de Jezabel era com os deuses do seu povo, com a nação dela. Assim, de que adianta desejar fazer a vontade de Deus se mantemos aliança com quem se dobra ao querer do Diabo? Não há comunhão entre luz e trevas. Jezabel adorava a Baal, já Acabe pertencia a um povo que adorava ao único Deus. Ainda assim eles se casaram. E, por causa desse casamento, Israel experimentou a desordem.

Infelizmente, muitos cristãos se perdem porque fazem aliança com pessoas que não adoram ao Deus verdadeiro, e por influência delas afastam os filhos do Pai celestial. Vejo muitos casamentos em que a esposa vai sozinha à igreja — isso quando o marido não implica pelo fato de ela ir —, enquanto ele vai a lugares onde não há a santa presença do Espírito. Um cultua a Deus, e o outro, a Baal. E isso traz consequências para toda a família, pois os filhos ficam indecisos, sem saber se seguem os passos da mãe ou os do pai. Uma escolha ruim, feita por quem não a considerava uma prioridade, que acaba prejudicando outras escolhas.

Acabe não se importou com o destino da família ou o da nação. Ele deixou Jezabel tomar conta de tudo, inclusive da liderança de Israel. Era ela quem conduzia o povo e seu destino. Aquela mulher maligna implantara a idolatria pagã em Israel e, ainda assim, o marido preferiu ficar omisso. Um casamento errado pode destruir a sua vida. Observe: se o pretendente amar você mais do que a Deus, não se case com ele (ou ela). Esse é o primeiro sinal de atenção, uma vez que o primeiro mandamento é amar a Deus sobre todas as coisas. Nada deve ser mais importante na vida do noivo ou da noiva que o relacionamento com o Senhor, pois é isso que vai fortalecer o casamento.

> *A conclusão dessa história é que a indecisão também é uma decisão. Você precisa tomar decisões ao ver-se diante de uma escolha. De que lado você vai ficar?*

Também é fundamental ouvir o conselho dos pais. Independentemente de eles serem cristãos ou não, Deus os pôs na terra para cuidar de você. Pais costumam ter uma percepção que os filhos não têm. Se, como Acabe, seu noivo ou namorado não se envolve com o reino de Deus, termine o relacionamento o mais rápido possível. Ele não vai melhorar, pois já está mostrando quem é e o que prioriza. Digo o mesmo aos rapazes e às moças: não pensem que seu pretendente vai melhorar depois de se casar. E você colherá os resultados da escolha que fizer, e que podem ser muito amargos.

A história de Acabe e Obadias prossegue:

> Estando Obadias já de caminho, eis que Elias se encontrou com ele. Obadias, reconhecendo-o, prostrou-se com o rosto em terra e disse: És tu meu senhor Elias? Respondeu-lhe ele: Sou eu; vai e dize a teu senhor: Eis que aí está Elias.
>
> 1Reis 18.7-8

Elias estava ciente de que o senhor de Obadias era Acabe, e não o Criador. Obadias jogava nos dois lados. Queria agradar a Deus, mas ao mesmo tempo não queria desagradar a seus amigos pagãos.

Infelizmente existem pessoas que mudam de acordo com a companhia. Quando estão entre os cristãos, têm uma conduta; entre os colegas de escola ou faculdade, têm outra. Falam "crentês" dentro da igreja e usam o linguajar do mundo, com suas palavras torpes, quando estão fora dela. Nunca se sabe ao certo seu testemunho, tampouco quem são de verdade. Esse é o problema de não ter a identidade definida. Pessoas que não sabem quem são mudam de acordo com o ambiente, como camaleões. Elas se adaptam ao local e "mudam de cor", conforme a necessidade. São pessoas que constantemente se transformam, tal qual Obadias. Quem são os seus melhores amigos? São aqueles que amam a Deus? Que, acima de tudo, amam a Deus? Ou são aqueles que não têm compromisso com ele?

Quando me converti a Cristo, há mais de cinquenta anos, minha primeira atitude foi tornar-me amigo do pastor. E o que me impressionava na vida dele era o seu estilo de vida. Era um homem de oração, um evangelista amoroso e fiel a Deus. Eu queria parecer-me com ele e pedia que me deixasse carregar a sua pasta. Ele me levava por onde ia, pois sabia que eu queria aprender. Assim, eu o acompanhava ao programa de rádio que fazia, visitava os enfermos e dava meus primeiros passos na vida cristã. Dois anos depois, quando me mudei para São Paulo, também procurei me tornar amigo de pessoas em quem eu via uma espiritualidade real e profunda. Foi quando conheci Antônio Gonçalves, homem santo de Deus, já falecido, que me ensinou a preparar sermões e a pregar. Eu sempre quis ser amigo de pessoas melhores que eu. E você: Quem é seu melhor amigo: Acabe ou Elias? Obadias escolheu Acabe.

> Então, foi Obadias encontrar-se com Acabe e lho anunciou; e foi Acabe encontrar-se com Elias. E sucedeu que, vendo Acabe a Elias, disse-lhe Acabe: És tu o perturbador de Israel? Então, disse ele: Eu não tenho perturbado a Israel, mas tu e a casa de teu pai, porque deixastes os mandamentos do Senhor e seguistes os baalins.
>
> 1Reis 18.16-18, RC

Elias respondeu a Acabe que ele, o rei, era o responsável por toda a desgraça que estava acontecendo em Israel. E o desafiou:

> Agora, pois, envia, ajunta a mim todo o Israel no monte Carmelo, como também os quatrocentos e cinquenta profetas de Baal e os quatrocentos profetas de Aserá, que comem da mesa de Jezabel. Então, enviou Acabe os mensageiros a todos os filhos de Israel e ajuntou os profetas no monte Carmelo. Então, Elias se chegou a todo o povo e disse: Até quando coxeareis entre dois pensamentos? Se o Senhor é Deus, segui-o; e, se Baal, segui-o. Porém o povo lhe não respondeu nada.
>
> 1Reis 18.19-21, RC

É preciso priorizar as escolhas certas. Não dá para ficar contemporizando o tempo todo, em cima do muro, arrumando justificativas, agradando aos dois lados, servindo a dois senhores. Simplesmente não dá.

Acabe escolheu uma vida pecaminosa, assim como Jezabel. Pessoas que pecam sem dor de consciência e sem arrependimento são sempre muito bem resolvidas nas decisões que tomam. Elas não têm vergonha de viver em pecado. Sua vergonha está em viver uma vida santa. Há indivíduos cujo testemunho é mentiroso. Eles não dizem que são cristãos porque não querem ser taxados de "fanáticos" ou outros adjetivos que a sociedade secular criou para rotular e estereotipar os servos de Deus.

Na vida cristã não dá para negociar. É preciso dizer sim ou não. Elias, apoiado nos sete mil homens que não dobraram os joelhos a Baal, já tinha se definido; morrendo ou não, estava lá. Procure as sete mil pessoas que não "dobraram os joelhos a Baal" e ainda amam a Deus e aproxime-se delas. Há gente idônea na casa de Deus, disposta a pagar preço de oração pela sua vida e a caminhar ao seu lado quantas milhas forem necessárias. Não ande sozinho. Faça aliança com as pessoas certas. Só não escolha ficar na neutralidade. Obadias preferiu ser neutro. Deu mais valor à vida terrena que à espiritual.

É preciso priorizar as escolhas certas. Não dá para ficar contemporizando o tempo todo, em cima do muro, arrumando justificativas, agradando aos dois lados, servindo a dois senhores. Simplesmente não dá.

E para você, o que é mais precioso? Está na hora de tomar uma decisão e definir sua vida espiritual. Lembre-se da igreja de Laodiceia, que não era fria nem quente e, porque era morna, recebeu um alerta duro da parte de Deus: "vomitar-te-ei da minha boca" (Ap 3.16, RC).

É fundamental decidir-se. Não tente negociar, como Obadias, pois isso vai levá-lo à perdição. Você não vai conseguir viver uma vida dupla, sem uma identidade definida. Não dá para viver servindo a dois senhores e mudar de acordo com a circunstâncias. Sua consciência acusa quem você realmente é e, uma vez adquirida essa consciência, é preciso reagir. O Senhor nos manda escolher hoje a quem desejamos servir: a Deus ou Baal; caso contrário, ele vai vomitá-lo da boca dele. Se isso não traz temor ao seu coração, você precisa se arrepender, pedir perdão dos seus pecados e começar uma vida nova. Não dá para nascer de novo e continuar servindo ao Diabo. Não há comunhão entre luz e trevas, entre os filhos de Deus e os filhos das trevas, entre os escravos do pecado e os servos da justiça. É preciso examinar-se e conferir o tipo de vida que você anda levando.

A prioridade das escolhas é fundamental, porque você é responsável por elas. Lembra-se do exemplo de Pilatos?

> Perguntou Pilatos: "Que farei então com Jesus, chamado Cristo?" Todos responderam: "Crucifica-o!" "Por quê? Que crime ele cometeu?", perguntou Pilatos. Mas eles gritavam ainda mais: "Crucifica-o!" Quando Pilatos percebeu que não estava obtendo nenhum resultado, mas, ao contrário, estava se iniciando um tumulto, mandou trazer água, lavou as mãos diante da multidão e disse: "Estou inocente do sangue deste homem; a responsabilidade é de vocês".
>
> Mateus 27.22-24, NVI

O governador romano achou que ao lavar as mãos isentava-se das responsabilidades impostas por sua escolha. Mas ele estava errado. Não adianta culpar os outros por sua decisão. Foi você que a tomou; a escolha sempre é sua. Você pode até tentar lavar as mãos, isentar-se, esquivar-se e continuar vivendo como se nada estivesse acontecendo, mas chegará um momento em que terá de decidir e deixar de servir a dois senhores. Para conseguir agradar a um é necessário, inevitavelmente, entristecer o outro.

Precisamos renunciar ao mundanismo, ao sistema corrupto do mundo, à mentira, à pornografia, à miséria... e sair da neutralidade. Sabemos que o mal não é neutro; pelo contrário, ele é muito bem definido. De igual forma, também precisamos ser firmes e claros em nosso posicionamento.

Cristãos que não oram para não parecer exagerados, não leem a Bíblia porque têm outras coisas "mais importantes" para fazer, não oram no Espírito porque não querem parecer pretensiosos demais e não condenam o pecado porque não querem parecer fanáticos estão, sem perceber, adotando o modelo deste mundo miserável, sujo e profano. Não se assemelhe à sociedade descompromissada e sem Deus em que vivemos. Deus exige definição.

Se Pilatos é um exemplo de atitude que não devemos tomar, o profeta Daniel representa o extremo oposto: ele personifica a firmeza de decisão que precisamos ter em todas as escolhas que tomarmos ao longo da vida. Aquele israelita, servo do Deus verdadeiro, foi levado cativo a uma terra pagã e idólatra. Mesmo cercado de tudo o que havia de mais impuro e sedutor, ele se manteve fiel.

> No ano terceiro do reinado de Jeoaquim, rei de Judá, veio Nabucodonosor, rei da Babilônia, a Jerusalém e a sitiou. O Senhor lhe entregou nas mãos a Jeoaquim, rei de Judá, e alguns dos utensílios da Casa de Deus; a estes, levou-os para a terra de Sinar, para a casa do seu deus, e os pôs na casa do tesouro do seu deus. Disse o rei a Aspenaz, chefe dos seus eunucos, que trouxesse alguns dos filhos de Israel, tanto da linhagem real como dos nobres, jovens sem nenhum defeito, de boa aparência, instruídos em

toda a sabedoria, doutos em ciência, versados no conhecimento e que fossem competentes para assistirem no palácio do rei e lhes ensinasse a cultura e a língua dos caldeus. Determinou-lhes o rei a ração diária, das finas iguarias da mesa real e do vinho que ele bebia, e que assim fossem mantidos por três anos, ao cabo dos quais assistiriam diante do rei. Entre eles, se achavam, dos filhos de Judá, Daniel, Hananias, Misael e Azarias. O chefe dos eunucos lhes pôs outros nomes, a saber: a Daniel, o de Beltessazar; a Hananias, o de Sadraque; a Misael, o de Mesaque; e a Azarias, o de Abede-Nego. Resolveu Daniel, firmemente, não contaminar-se com as finas iguarias do rei, nem com o vinho que ele bebia; então, pediu ao chefe dos eunucos que lhe permitisse não contaminar-se.

Daniel 1.1-8

Daniel é um exemplo típico de definição. O jovem profeta, ao ser levado preso para a Babilônia, decidiu em seu coração não se contaminar com as iguarias do rei. Mesmo em meio às dificuldades, ele decidiu honrar a Deus, amá-lo, viver uma vida santa, dizer não ao pecado e sim à justiça, ir contra tudo e todos. O resultado? Deus o honrou e, assim, Daniel resistiu a três reinados, porque foi um homem que decidiu ser fiel a Deus, que o sustentou.

Está na hora de priorizarmos as escolhas certas, para não sermos expelidos da boca do Senhor. Chega de indiferença. Preocupo-me quando vejo pessoas tão indiferentes na igreja, gente que entra e sai dos cultos como se nada tivesse acontecido. São indivíduos habituados a assistir à celebração, mas desacostumados a ter comunhão com Deus. Acabam se tornando praticantes de uma religiosidade vazia e mecânica, e vivem uma mentira. Fora da igreja são iguais a Acabe; dentro, iguais a Obadias.

Ou você decide ou será vomitado da boca de Deus. Quem diz isso não sou eu; é o Senhor. É uma sentença dura, mas real, e serve para mim e para você. E isso ocorre não porque Deus seja perverso, mas porque ele disciplina o filho a quem ama (cf. Ap 3.19). Portanto, faça a sua escolha, tome a sua decisão.

É impossível ficar indiferente a essa necessidade tão urgente. Então, se você percebe que precisa mudar de atitude e deseja seguir Deus de toda a sua alma e com todas as suas forças, saiba que ele não vai desprezá-lo jamais. Quando você se arrepende e decide mudar, o Senhor corre para fortalecê-lo, guardá-lo e abençoá-lo. Por isso, defina sua vida hoje. Não seja como Obadias. Seja como Elias: rompa qualquer compromisso, aliança ou amizade com este mundo. Faça a sua escolha. Tome a sua decisão.

Precisamos renunciar ao mundanismo, ao sistema corrupto do mundo, à mentira, à pornografia, à miséria... e sair da neutralidade. Sabemos que o mal não é neutro; pelo contrário, ele é muito bem definido. De igual forma, também precisamos ser firmes e claros em nosso posicionamento.

Reflita

A beleza das Escrituras

A Palavra de Deus foi escrita para nós, os filhos de Deus. É por meio dela que alimentamos a esperança no Deus que nos concedeu tão grande e poderosa salvação. Essa Palavra foi escrita para que fôssemos consolados, fortalecidos e confrontados com as experiências de homens como Obadias, Acabe e Elias. Nela, encontramos a expressão do constante amor de Deus por nós em todas as situações.

Vemos o amor dele, por exemplo, no perdão ao rei Davi e na restauração de sua vida. Davi havia experimentado um terrível fracasso moral ao cometer adultério com Bate-Seba e por ser o responsável pela morte de Urias (cf. 2Sm 11). Embora ele tenha trazido tamanha desgraça para si mesmo e sua família ao desonrar o Senhor, o amor e a graça de Deus permaneceram em seu favor. Outro exemplo é a vida de Moisés, que passou por momentos de crise e fracasso ao matar um egípcio, mas, mesmo assim, Deus o chamou para realizar uma grande obra.

Por meio desses e de outros ilustres personagens da Bíblia, a Palavra de Deus nos revela como nos assemelhamos a eles, e nos desafia, confronta e ensina a mudar. As Escrituras nos consolam, confortam, corrigem, animam, orientam, disciplinam e advertem.

Esta é uma das belezas da Bíblia: ela apresenta a verdade para todos e expõe o erro resultante das más escolhas de homens eminentes, a fim de nos poupar de cometer os mesmos erros e nos levar a experimentar uma vida abundante ao optar pelas escolhas certas.

Ponha em prática

Pense nas escolhas mais importantes que você tem de fazer esta semana e procure identificar se estão de acordo com a vontade de Deus. Faça uma autoanálise com base nos personagens bíblicos citados neste capítulo (Acabe, Obadias e Elias).

Que decisões preciso tomar esta semana?
_____
_____
_____
_____
_____
_____ .

O que vou fazer está de acordo com a vontade de Deus?
_____
_____
_____
_____
_____
_____ .

Como posso permitir que a vontade de Deus, que é boa, perfeita e agradável, se cumpra em minha vida?
_____
_____
_____
_____
_____
_____ .

As alianças que tenho feito são com pessoas que servem a Deus ou aos valores da sociedade sem Deus?

_____
_____
_____
_____
_____
_____
_____

Será que eventualmente me vejo em cima do muro com relação a Deus? Se a resposta for positiva, o que devo fazer?

_____
_____
_____
_____
_____
_____
_____
_____

Capítulo 4

Amor ao próximo

> *Deus se manifesta onde as pessoas demonstram amor umas às outras.*
>
> Johann Heinrich Pestalozzi

Em certa ocasião, Jesus estava debatendo com estudiosos judeus acerca de questões relativas à doutrina, quando um escriba se aproximou dele e indagou qual seria o principal mandamento. O Senhor respondeu:

> Amarás, pois, o Senhor, teu Deus, de todo o teu coração, de toda a tua alma, de todo o teu entendimento e de toda a tua força. O segundo é: Amarás o teu próximo como a ti mesmo. Não há outro mandamento maior do que estes.
>
> Marcos 12.30-31

A resposta de Cristo deixa claro que o amor ao próximo, fruto do amor a Deus, deve ser outra das prioridades da vida.

Mas o que é amar a Deus e ao próximo? Primeiro, amar é se relacionar. Sem conexão com o outro, é impossível amá-lo. Afinal, como amar alguém que nem conhecemos?

Segundo, é ter a humildade de reconhecer os equívocos e se arrepender deles, para que ocorram mudanças de atitude, permitindo a convivência (maridos e esposas que o digam!). Terceiro, é fazer as escolhas certas, que demonstrem de forma prática o amor que dizemos sentir. Em resumo, tudo o que falamos até este ponto da leitura está relacionado a esta prioridade: amor. E não há demonstração maior de amor que compartilhar o evangelho com aqueles que ainda não entregaram sua vida a Jesus, para que conheçam a verdade e, assim, sejam salvos.

Vivemos um momento na história do mundo em que a Igreja tem exercido muito pouca influência sobre a sociedade. Nossa atuação tem sido insignificante e precária; por vezes, acompanhada de um testemunho de vida dúbio, que não expressa justiça nem verdade. Por isso o cristianismo se tornou, para muitas pessoas, motivo de escárnio e rejeição. O fato é que o nome de Jesus vem sendo usado por muitos como pretexto para atrair as pessoas às igrejas, mas o Senhor não tem sido glorificado em nossa nação. Cristo não tem sido exaltado como deveria. Pelo contrário, o evangelho que temos ouvido exalta a personalidade humana, glorifica pessoas, quando, na verdade, deveria exaltar o único que é digno de receber toda a glória e toda a honra.

O apóstolo Paulo tinha um compromisso total com o evangelho do reino. Sua pregação não visava a entreter as pessoas ou seduzi-las, mas transmitir a única mensagem que interessava: quem não nascer de novo não pode herdar o reino de Deus. Sua proposta era uma mudança de reino, e não um evangelho para enriquecer as pessoas. Paulo dizia com toda a autoridade: "De ninguém cobicei prata, ouro ou veste" (At 20.33). Ou seja, o dinheiro não seduzia aquele homem que amava a Deus sobre todas as coisas. Ele priorizava o amor a Deus sobre todas as coisas e ao próximo como a si mesmo, por isso pregava o único caminho para a salvação.

Hoje, muitos usam a Igreja como trampolim para conquistar posição política, econômica e financeira; como desculpa para realizar projetos pessoais. Existem organizações eclesiásticas que se assemelham muito a partidos políticos. Sinto uma tristeza profunda quando vejo o nome do Senhor ser usado para produzir iniquidade. Peço a Deus que me livre de um dia, como pastor, viver um ministério falso, com propósitos não muito definidos nem claros, com projetos levianos. Porque aqueles que o fazem terão de prestar contas a Deus do que ensinam e praticam. Temos de ir na contramão disso e fazer tudo o que pudermos para que o nome de Deus seja exaltado em sua comunidade, a fim de que esta nação saiba que há cristãos que levam a sério o reino de Deus.

A crítica dos muçulmanos à conduta dos cristãos, por exemplo, lamentavelmente tem, sim, fundamento, queiramos ou não. Eles nos acusam de pregar uma coisa e viver outra. "Os mesmos cristãos que falam de paz e amor são os que nos agridem em nossa casa", afirmam. Para eles, cristianismo é sinônimo de guerra. Acusados o tempo todo de praticarem o terrorismo, eles também enxergam o cristianismo como terrorismo.

Fico pensando em quão terrível é esse testemunho. Há alguns anos, li uma carta do arcebispo da Catedral Católica de Boston, nos Estados Unidos, endereçada ao então presidente George W. Bush. Ele questionava: "Senhor presidente, se, em vez de lançar bombas nos países muçulmanos, enviássemos alimentos, medicamentos e recursos, não seríamos amados e bem recebidos por eles? Será que não nos ouviriam?". Fiquei pensando se não é exatamente esta a questão: o cristianismo hoje está desprovido do testemunho do amor. O que as pessoas pregam não condiz com o que vivem. E o início está no que é ensinado por alguns líderes como o evangelho de Cristo, quando, na verdade, se trata de uma doutrina desprovida de arrependimento e transformação, voltada apenas para interesses pessoais e necessidades terrenas. Isso demonstra a total falta de amor por Deus e pelo próximo.

Que testemunho você tem dado? Como tem sido a sua conduta dentro e fora da igreja? O nome de Jesus tem sido exaltado em sua vida? As pessoas enxergam o Senhor quando olham para você? Precisamos ser exemplos de amor, fé e caráter. Não adianta gritar aos quatro ventos que você é evangélico se não vive de acordo com o que o evangelho diz.

> Vós sois a nossa carta, escrita em nosso coração, conhecida e lida por todos os homens, estando já manifestos como carta de Cristo, produzida pelo nosso ministério, escrita não com tinta, mas pelo Espírito do Deus vivente, não em tábuas de pedra, mas em tábuas de carne, isto é, nos corações.
>
> 2Coríntios 3.2-3

Somos a carta conhecida e lida por todos os homens. Significa que as pessoas veem Jesus por meio de quem somos e do que fazemos. Elas crerão que Cristo as ama quando demonstrarmos amor por elas; crerão que Jesus transforma quando evidenciarmos mudança em nossa vida.

Hoje, grande parte da igreja assemelha-se a um supermercado: ela é procurada apenas para suprir as necessidades das pessoas, que a frequentam em busca da solução de problemas, de inquietudes, temores e questões íntimas do coração. Depois... vão embora. Certa vez, eu estava passeando com minha esposa em um *shopping center*, em São Paulo, quando um homem que tinha sido membro da nossa igreja veio até mim. Ele me abraçou e disse: "Pastor, nunca me esqueci de você". Esse irmão tinha sido *hippie* e usuário de drogas, e eu o levara a conhecer Cristo. Aquele homem se despediu dizendo: "Você está no meu coração". Por mais estranho que pareça, aquilo me entristeceu. Não pelo fato de ele não fazer mais parte da minha comunidade local, pois entendo que as pessoas têm o direito de mudar, se quiserem, mas por ver que o cristianismo se tornou descartável; assim, quando aquilo não interessa mais às pessoas, elas simplesmente vão embora, esquecendo-se do amor que receberam.

> *Que testemunho você tem dado? Como tem sido a sua conduta dentro e fora da igreja? O nome de Jesus tem sido exaltado em sua vida? As pessoas enxergam o Senhor quando olham para você? Precisamos ser exemplos de amor, fé e caráter.*

Precisamos entender que, de fato, a igreja é o local onde aquele que ali vai em busca de Jesus encontra cura, restauração, conforto, paz e até bênçãos materiais, pelo simples fato de que Deus é generoso e tem prazer em nos abençoar. A questão é saber se a nossa motivação em buscar o Senhor tem sido as bênçãos que ele pode nos proporcionar ou o seu caráter, o seu amor, o seu senhorio em nossa vida.

Somente quando entendermos que a verdadeira missão da Igreja é alcançar outros por meio da pregação do arrependimento e da graça de Deus estendida ao ser humano é que viveremos um cristianismo genuíno. Que amaremos de fato o nosso próximo, por apresentarmos a ele o caminho da salvação e não o caminho de benefícios materiais, passageiros. Só há um modo de amar o próximo de fato, que é orientá-lo rumo a Cristo.

O homem de hoje vive inquieto, à procura de respostas. Ele não sabe onde vai passar a eternidade; desconhece para que existe e por que vive; não entende a razão de trabalhar nem a de se casar. Ele não tem claros os motivos da própria existência. E nós, lamentavelmente, por falta de amor, estamos preocupados apenas em garantir-lhe prosperidade e oferecer-lhe sucesso e dinheiro. Essa oferta do falso cristianismo de nossos dias não responde à maior inquietação do homem: o que lhe acontecerá após a morte. Precisamos urgentemente priorizar o amor pelo próximo, para pôr em prática o amor de Cristo e alcançar essas pessoas, a fim de fazer delas discípulos. Esse é o projeto de Deus.

Amor expresso na vida ministerial
Como vimos no capítulo 1, ao contrário do uso comum (que associa "ministério" a atividades eclesiásticas), considero que vida ministerial não é apenas servir à igreja, mas viver de maneira integral: onde quer que se esteja, o tempo todo. Vida ministerial é, portanto, o nosso testemunho, aquilo que somos e mostramos ser no dia a dia.

Nossas ações precisam expressar nosso amor ao próximo, quando também compartilhamos o amor de Deus.

Isso pode ocorrer, por exemplo, na forma de serviço. Fomos chamados para servir ao Senhor. Essa é uma das expressões do nosso amor por ele. Paulo foi um exemplo de vida de serviço, pois ele amava tanto o seu Deus que estabeleceu como interesse principal servi-lo. Ele vivia sob a autoridade divina e seu objetivo era cumprir o propósito do Criador na terra. Deus era o Senhor de sua vida e tudo o que Paulo fazia era para ele.

O apóstolo também amava o próximo. Ele se identificava com as pessoas e sentia suas dores. Precisamos disto em nossa vida: olhar para os indivíduos com quem convivemos e sentir em nós o sofrimento deles. O Senhor tem me levado a ter essa experiência de identificação com a dor dos outros. Uma delas aconteceu há alguns anos. Cheguei em casa numa sexta-feira, à noite, depois da reunião na igreja, e resolvi pedir um lanche. Quando liguei, a pessoa que me atendeu começou a chorar. Sem entender muito bem o que estava acontecendo e, confesso, um pouco sem graça, identifiquei-me e comecei a fazer o pedido, porém a pessoa continuou chorando. Então eu disse: "Filha querida, se você está sentindo algum tipo de temor, tristeza, angústia ou ansiedade, lembre-se de que o amor de Deus por você é constante".

À medida que eu ia falando, a pessoa do outro lado da linha começou a se acalmar. Quando ela parou de chorar, perguntei-lhe se me conhecia. Ela respondeu positivamente e disse que tinha reconhecido minha voz do programa a que assistia pela televisão. "O senhor sempre infundiu amor no meu coração. Agora que estou vivendo um problema, o senhor me liga. Neste exato momento". Então orei por ela pelo telefone.

Não podemos deixar as pessoas se perderem. Elas andam como ovelha sem pastor e sem ninguém para sentir compaixão delas. Cristão sem compaixão não é cristão. Portanto, é fundamental na vida ministerial ser servo, pronto e disponível para ser usado por Deus o tempo todo.

Mas, além do serviço, expressamos amor quando zelamos pela igreja e pelos irmãos.

> E não nos cansemos de fazer o bem, porque a seu tempo ceifaremos, se não desfalecermos. Por isso, enquanto tivermos oportunidade, façamos o bem a todos, mas principalmente aos da família da fé.
>
> Gálatas 6.9-10

Nessa passagem, Paulo está dizendo aos gálatas que eles deviam cuidar dos que pertencem à fé cristã; não somente pregar às multidões, mas cuidar dos irmãos, procurando conhecer suas dificuldades e caminhando lado a lado.

A igreja é um corpo. Um membro não funciona sem o outro. Todos são interdependentes. A mão precisa do braço, que está ligado ao ombro, que depende do pescoço, e assim por diante. Se negarmos ajuda aos da fé, como seremos capazes de ajudar o perdido? A igreja não é lugar onde um demonstra ser mais santo que o outro, mas onde a família de Deus caminha lado a lado, fazendo o bem, intercedendo em oração, exortando, aconselhando. O desejo do coração de Deus é que não caminhemos sozinhos, por isso ele instituiu a igreja. Assim, procure andar junto de seus irmãos.

Quem anda sozinho, uma hora ou outra, perde a força e não consegue continuar. A Palavra afirma:

> Melhor é serem dois do que um, porque têm melhor paga do seu trabalho. Porque se caírem, um levanta o companheiro; ai, porém, do que estiver só; pois, caindo, não haverá quem o levante.
>
> Eclesiastes 4.9-10

Outra expressão de amor ao próximo é o ato de testificar: "testificando tanto a judeus como a gregos o arrependimento para com Deus e a fé em nosso Senhor Jesus [Cristo]" (At 20.21). Paulo sabia da importância de pregar o evangelho às pessoas que não conhecem Deus. Precisamos pregar a tempo e fora de tempo (cf. 2Tm 4.2). Pregue com sua vida, suas palavras e atitudes. Não perca uma oportunidade sequer. É urgente que proclamemos o evangelho, o verdadeiro, voltado para o reino, para que o Espírito Santo possa produzir nas pessoas a conversão a Deus e a fé em nosso Senhor Jesus.

A vida ministerial prevê, ainda, outra expressão de amor: não ter a vida terrena por preciosa, como o apóstolo Paulo estipula:

> Porém em nada considero a vida preciosa para mim mesmo, contanto que complete a minha carreira e o ministério que recebi do Senhor Jesus para testemunhar o evangelho da graça de Deus.
> Atos 20.24

Ele estava afirmando que a vida dele ficava em último lugar. Paulo não vivia para si mesmo, mas se devotava a Deus e ao próximo. Por isso, devemos seguir seus passos e também dizer:

> Quanto a mim, estou sendo já oferecido por libação, e o tempo da minha partida é chegado. Combati o bom combate, completei a carreira, guardei a fé. Já agora a coroa da justiça me está guardada, a qual o Senhor, reto juiz, me dará naquele Dia; e não somente a mim, mas também a todos quantos amam a sua vinda.
> 2Timóteo 4.6-8

Se conseguirmos viver essas expressões de amor como prioridade em nossa vida ministerial: servir, cuidar, pregar e pôr-se em último lugar, estaremos cooperando para o cumprimento do projeto de Deus na terra. Esse projeto não começou comigo. Pela "loucura da pregação", como disse o apóstolo Paulo, somos parte do grande grupo de cooperadores de Deus na empreitada de salvar os homens. O grande desejo do meu coração é ver a Igreja se transformar em uma comunidade de discípulos, pois isso é, acima de tudo, o desejo do Senhor.

> *Se conseguirmos viver essas expressões de amor como prioridade em nossa vida ministerial: servir, cuidar, pregar e pôr-se em último lugar, estaremos cooperando para o cumprimento do projeto de Deus na terra.*

O mesmo sentimento que houve em Cristo

Em sua carta aos filipenses, o apóstolo Paulo enfatiza uma realidade que todo cristão precisa viver, e que está relacionada ao amor pelo próximo.

> Se há, pois, alguma exortação em Cristo, alguma consolação de amor, alguma comunhão do Espírito, se há entranhados afetos e misericórdias, completai a minha alegria, de modo que penseis a mesma coisa, tenhais o mesmo amor, sejais unidos de alma, tendo o mesmo sentimento. Nada façais por partidarismo ou vanglória, mas por humildade, considerando cada um os outros superiores a si mesmo. Não tenha cada um em vista o que é propriamente seu, senão também cada qual o que é dos outros. Tende em vós o mesmo sentimento que houve também em Cristo Jesus, pois ele, subsistindo em forma de Deus, não julgou como usurpação o ser igual a Deus; antes, a si mesmo se esvaziou, assumindo a forma de servo, tornando-se em semelhança de homens; e, reconhecido em figura humana, a si mesmo se humilhou, tornando-se obediente até à morte e morte de cruz.
>
> Filipenses 2.1-8

Quando Paulo afirma que precisamos ter o mesmo sentimento de Jesus, deixa claro que nossa responsabilidade como cristãos é viver como o Senhor viveu. Cristo abriu mão de sua glória e majestade para servir aos homens, andou em comunhão com o Pai e os discípulos, e exerceu o amor. Meu desejo é que você consiga caminhar por esse mesmo caminho. Afinal, se afirmamos que estamos nele, devemos andar como ele andou e dar prosseguimento ao seu ministério, visto que você e eu somos representantes dele neste mundo. Temos de trabalhar, portanto, para que Jesus seja conhecido e que a poderosa salvação oferecida por ele seja experimentada por todos os homens.

A Igreja deve ter como objetivo amar e cuidar muito bem das pessoas que entram por suas portas, a fim de que elas permaneçam e não saiam pela porta dos fundos. É preciso servi-las, ajudá-las a viver debaixo da graça de Deus e fazê-las saber que são amadas e que queremos cuidar bem delas. É preciso ficar claro que não nos interessamos pelo que elas têm, mas pelo que são. Quem ama coisas não ama pessoas, quem ama pessoas não ama coisas. Nosso amor está em conquistas terrenas ou em tesouros eternos? Sigamos a determinação do Mestre:

> Não acumuleis para vós outros tesouros sobre a terra, onde a traça e a ferrugem corroem e onde ladrões escavam e roubam; mas ajuntai para vós outros tesouros no céu, onde traça nem ferrugem corrói, e onde ladrões não escavam, nem roubam; porque, onde está o teu tesouro, aí estará também o teu coração.
>
> Mateus 6.19-21

Sabe quais são os tesouros do céu? As pessoas. Porque Jesus veio ao mundo para morrer por elas. Portanto, seres humanos não devem ter seu valor calculado pelo que ganham. O pastor que olha para as ovelhas de seu rebanho pensando em quanto vai arrecadar com elas vive um cristianismo pobre e mesquinho. O cristianismo verdadeiro é aquele que Jesus ensinou a seus discípulos quando a multidão foi a ele faminta e ele a alimentou. Porque sentiu compaixão daqueles indivíduos, envolveu-se com a necessidade deles, não ficou indiferente. É assim que precisamos ser.

Referência e testemunho

O apóstolo Paulo dá um dos testemunhos de vida mais admiráveis das Escrituras. Toda vez que ele ensinava alguma coisa, apresentava-se como referência, fazendo afirmações e indagações como "estão vendo como eu fiz, como sou imitador de Cristo?" Aquele homem expunha sua vida, seu ministério e sua conduta e chamava para si a responsabilidade.

> De Mileto, mandou a Éfeso chamar os anciãos da igreja. E, logo que chegaram junto dele, disse-lhes: Vós bem sabeis, desde o primeiro dia em que entrei na Ásia, como em todo esse tempo me portei no meio de vós, servindo ao Senhor com toda a humildade e com muitas lágrimas e tentações que, pelas ciladas dos judeus, me sobrevieram; como nada, que útil seja, deixei de vos anunciar e ensinar publicamente e pelas casas, testificando, tanto aos judeus como aos gregos, a conversão a Deus e a fé em nosso Senhor Jesus Cristo. E, agora, eis que, ligado eu pelo espírito, vou para Jerusalém, não sabendo o que lá me há de acontecer, senão o que o Espírito Santo, de cidade em cidade, me revela, dizendo que me esperam prisões e tribulações. Mas em nada tenho a minha vida por preciosa, contanto que cumpra com alegria a minha carreira e o ministério que recebi do Senhor Jesus, para dar testemunho do evangelho da graça de Deus.
>
> Atos 20.17-24, RC

Durante os três anos e meio em que Paulo esteve em Éfeso, trabalhou intensamente em prol do evangelho de

Jesus Cristo e formou muitos líderes. As Escrituras mostram que ele ensinava publicamente e nas casas (v. 20). Isso nos mostra que o pastor que deseja multiplicar o rebanho precisa arregaçar as mangas e trabalhar. Infelizmente, há líderes que só querem o título para satisfazer a vaidade ou alcançar o respeito que, naturalmente, isso lhes proporciona. Gostam de ser chamados de pastor, bispo ou reverendo, porque, assim, se sentem mais importantes que as outras pessoas. Ser sacerdote cristão não é nada disso. O líder eclesiástico foi chamado para ser servo, e não para ser senhor. Quem quiser ser grande tem de aprender a servir, e quem quiser ser o primeiro precisa buscar ser o último, como ensinou Jesus (cf. Mc 10.43-44). Assim, valorizar o título e se esquecer de valorizar a função é um grande equívoco.

Paulo não considerava o apostolado um título. Ele sabia que se tratava de uma missão. Apóstolo, que quer dizer enviado, não é título; é função. Paulo jamais confundiu isso; pelo contrário, usou a função apostólica para mostrar o serviço que estava prestando. Seu discurso seguia na linha "viram como agi entre vocês desde o primeiro dia em que cheguei? Servi ao Senhor com toda a humildade. Foi assim que estive entre vocês". Essa postura de humildade apontava para o Senhor, como aquele que é mais importante: ele, e não eu, deve ser exaltado. Apesar das situações que às vezes viveu, como provações, tentações, lutas e traições que os judeus promoveram na tentativa de matá-lo e nas quais derramou muitas lágrimas, Paulo nunca desistiu. Continuou servindo ao Senhor e à Igreja.

Se você não tem condições de dizer o mesmo a seu respeito, precisa rever sua vida cristã. Como filhos de Deus, não podemos dizer: "Faça o que eu digo, mas não faça o que eu faço". Ao contrário, devemos afirmar: "Faça o que eu digo, vendo como eu faço". Paulo não tinha medo de dizer aos cristãos que eles podiam imitá-lo. Expunha-se porque não tinha do que se envergonhar: "Sede meus imitadores, como também eu sou de Cristo" (1Co 11.1). Especificamente a Timóteo, o apóstolo aconselhou: "Procura apresentar-te a Deus aprovado, como obreiro que não tem de que se envergonhar, que maneja bem a palavra da verdade" (2Tm 2.15).

Somos chamados para ser testemunhas vivas, e não hipócritas na casa de Deus. Cada um de nós, qualquer que seja a posição que ocupemos — pastor, supervisor, líder, auxiliar ou membro da comunidade —, foi chamado para cumprir o grande projeto de Deus de amar as pessoas. Somos os filhos de Deus, representantes dele na terra.

Quando Paulo afirma: "Nunca deixei de anunciar publicamente pelas casas, testificando tanto a judeus quanto a gregos a conversão a Deus e a fé em nosso Senhor Jesus", sintetiza o trabalho de pregação do evangelho, a manifestação do amor a Deus e ao próximo e uma das prioridades de nossa vida. A conversão a Deus nada mais é que a volta do homem ao Senhor, mediante a fé em Jesus. O evangelho que precisamos pregar é o do arrependimento, pois, se as pessoas não se arrependerem, irão para o inferno; se não nascerem de novo, não entrarão no reino de Deus. Essa é a mensagem do evangelho.

Paulo colheu resultados pela postura adotada em Éfeso. Levantou pastores, líderes e presbíteros para que cuidassem do rebanho de Deus em seu lugar, e assim dessem continuidade ao trabalho que ele começou. Paulo teve um ministério frutífero porque se submeteu a priorizar o amor ao próximo e a Deus em suas ações diárias: ele foi servo, cuidou dos irmãos, pregou o verdadeiro evangelho e não teve a própria vida por preciosa. E você? Quais são suas motivações na vida cristã? Paulo escreveu:

> Em nada tenho a minha vida por preciosa, contanto que cumpra com alegria a minha carreira e o ministério que recebi do Senhor Jesus, para dar testemunho do evangelho da graça de Deus.
>
> Atos 20.24, RC

Essas palavras nos mostram que devemos considerar precioso o cumprimento da carreira que nos foi proposta pelo Senhor. Esse é o segredo. Exerça o ministério que você recebeu do Senhor, cuide das pessoas, ajude-as, abençoe-as. Nenhuma delas deve se perder. São almas preciosas, que precisam se sentir amadas, acolhidas e bem cuidadas.

O Senhor tem me dado a oportunidade de ver famílias inteiras sendo transformadas e salvas quando demonstramos compaixão e amor pelo próximo. Há alguns anos, o Senhor me levou a orar por uma família após ouvir o choro de uma criança durante uma rápida visita. Eu não tinha muito tempo, mas o choro da criança e o desespero da mãe me comoveram. Então falei de Jesus à família e deixei meu cartão com o endereço da igreja. Sem coragem de ir à nossa comunidade, a mãe daquela criança entregou o cartão à irmã mais velha, que foi a uma de nossas reuniões. Após ouvir o evangelho de Jesus, ela voltou apressadamente para casa e contou à família que, pela primeira vez, vira uma igreja que não estava interessada no seu dinheiro, mas, sim, nela. Por causa das boas-novas do amor de Deus, ela levou a irmã, o pai e a mãe ao culto, no domingo seguinte, e, naquela manhã memorável, toda a família se converteu. Simplesmente por causa da compaixão que Deus semeou em meu coração naquela manhã.

Que fique claro, no entanto, que não se trata de mérito meu; é dom de Deus. Como ele me amou primeiro e pôs em mim o amor de Cristo, posso agir segundo sua boa vontade e fazer o que ele faria. Disse Jesus: "Nisto todos conhecerão que sois meus discípulos, se vos amardes uns aos outros" (Jo 13.35, RC). Amar não é dizer palavras vãs às pessoas, mas dedicar tempo a elas, servindo-as e cuidando de suas carências. Não fomos chamados para fazer discursos, mas para lavar os pés uns dos outros. O amor tudo sofre, tudo crê, tudo espera, tudo suporta. O amor nunca falha.

Precisamos cumprir o projeto de Deus para nossa vida. Devemos priorizar uma vida em busca desse propósito, procurando agradar àquele que nos chamou para sua obra e por sua graça. As pessoas que se aproximam de nós precisam saber que as amamos pelo que são, e que estamos interessados em suprir suas necessidades. Assim, elas perceberão que, se tiverem alguma falta, o pão e o peixe que tivermos será repartido com elas. Essa deve ser nossa principal motivação.

Como filhos de Deus, não podemos dizer:
"Faça o que eu digo, mas não faça o que eu faço".
Ao contrário, devemos afirmar:
"Faça o que eu digo, vendo como eu faço".

Amor ao próximo é, portanto, uma prioridade da vida que nasce no coração de Deus e brota na alma daqueles que têm em si o Espírito Santo. Ame. Simplesmente ame. E o resto o Senhor fará acontecer.

Reflita

Desenvolvendo a compaixão

A Bíblia mostra que Jesus se compadecia das multidões (cf. Mt 9.36). A exemplo do Mestre, precisamos ter compaixão pelas pessoas; ser sensíveis às necessidades de quem está ao nosso lado.

Quando paramos em um sinal de trânsito e deparamos com um mendigo sujo, descalço e aflito, qual é nossa reação? Será que nos compadecemos ou pensamos que isso não é problema nosso? Se você não se importa, peça ao Senhor que lhe dê um coração sensível.

Não podemos ficar indiferentes ao sofrimento do outro. Temos de ter consciência de que há uma multidão, perdida, ao nosso lado, como ovelhas sem pastor. Jesus não ficava alheio ao sofrimento das pessoas. Era sensível a ele. Se nem mesmo dentro da igreja você se sensibiliza pelo sofrimento do outro, precisa pedir a Deus que lhe dê o mesmo amor que houve em Cristo Jesus ao dar a vida em favor de muitos. Isso é cristianismo.

Ao ver a multidão, Jesus se compadeceu. Por isso, precisamos repetir o ministério de Cristo, senão estaremos negando a fé. Como Jesus sentiu íntima compaixão das pessoas e devemos ser seus imitadores, é urgente que nossa oração clame a Deus que nos torne sensíveis ao sofrimento do outro.

Ponha em prática

Neste capítulo, vimos a importância de dar testemunho de vida àqueles que não conhecem o Senhor e de glorificar seu nome com nossas atitudes, motivados pelo amor desinteressado. Devemos estar dispostos a abrir mão de tudo, segundo o exemplo de Cristo. Analise se você tem priorizado isso em sua vida.

Como tem sido o meu testemunho?
_____
_____
_____
_____
_____
_____.

O que posso fazer para glorificar o nome de Deus?
_____
_____
_____
_____
_____
_____.

Que evangelho tem sido pregado em minha comunidade?
_____
_____
_____
_____.

Qual tem sido minha motivação para ir à casa do Senhor?

_____
_____
_____
_____
_____
_____
_____

Como posso me identificar mais com as pessoas ao meu redor? Como tornar-me mais sensível à dor do próximo?

_____
_____
_____
_____
_____
_____
_____

Conclusão

Chegou o momento de tomar uma decisão: queremos ou não uma mudança real em nossa vida? Costumo dizer que ter as mesmas atitudes e fazer as mesmas coisas repetidamente e, ainda assim, esperar resultados diferentes é viver em uma mentira. Não podemos plantar uma semente de laranja e esperar que cresça uma macieira!

Salomão, um dos sábios da Bíblia, escreveu: "Porque, como [o homem] imagina em sua alma, assim ele é" (Pv 23.7). Muitas vezes nos enganamos ao pensar que nossas prioridades estão alinhadas com as de Jesus quando, na verdade, estão longe delas ou, até mesmo, contradizem seu ensinamento. Na busca por agradar as pessoas ou ser aceito em certos círculos sociais, acabamos perdendo a identidade, aquela que Cristo nos legou quando morreu na cruz e ressuscitou: a identidade de filhos e filhas de Deus. Acabamos trocando-a por uma máscara que visa a agradar os outros e não ao Senhor. Todos os seres humanos têm, por natureza, a necessidade de justificar seus atos, transferindo a responsabilidade ou a culpa para terceiros, mas isso só prolonga o processo de cura que Jesus quer estabelecer em nossa vida.

As prioridades que aprendemos com Jesus só podem ter sentido e ser praticadas quando nos arrependemos dos atos do passado e entregamos, realmente, o presente e o futuro a Deus, nosso Criador, que tem um propósito para cada um de nós. Não posso dizer que viver tendo por alicerce essas prioridades deixará sua vida perfeita, sem problemas, sem dores nem lutas. Pelo contrário, muitas pessoas se oporão a mim e a você durante a jornada. Temos, porém, a nosso favor a certeza de que estamos semeando para o futuro — o de nossa família, do cônjuge, do trabalho, dos amigos e das pessoas que nos rodeiam —, pois um cristão se preocupa mais com o que está próximo a ele do que com ele mesmo (cf. Rm 12.10).

Comecemos com o primeiro passo: estabelecer Deus como nossa maior prioridade, como fundamento, como a base sólida da nossa vida. Partindo disso, teremos a certeza de que tudo o que construirmos sobre esse alicerce será para abençoar pessoas e trazer alegria à nossa vida.

Não fuja dos relacionamentos. Às vezes eles podem nos machucar e desgastar, mas uma vida em comunidade é muito melhor que uma vida de solidão! Vale a pena investir em pessoas, conhecê-las e ser conhecido por elas! Não desista de ser amigo. E busque ser amigo dos amigos de Deus.

Além disso, sempre esteja disposto a se arrepender e dizer "eu errei". Uma das melhores características que um cristão pode ter é a de arrepender-se e pedir perdão diante do erro ou da ofensa a outro. Seja um pacificador e busque sempre o melhor para as pessoas ao seu redor.

Não seja neutro! Posicione-se, arrisque-se, influencie as pessoas! Essa é uma escolha de que você nunca se arrependerá! E lembre-se de que, ao longo de toda a vida, dois lados nos serão apresentados: o do bem e o do mal; o da luz e o das trevas; o de Deus e o do Diabo. Escolha sempre o da luz. Não se deixe enganar pelas ciladas que o Inimigo muitas vezes põe no caminho para nos enganar. Fique firme e encha-se da Palavra de Deus e de amizades que o edifiquem!

E, muito importante: ame as pessoas. Se existe alguma forma de as pessoas terem esperança neste mundo mau, de voltarem a sonhar e a acreditar que existe um Deus que se importa com elas, é por meio do amor que demonstramos uns aos outros. Comece em casa, com a família, estenda ao trabalho, à igreja local e ao ministério. Que o amor sincero seja sempre nossa principal resposta ao mundo, que precisa conhecer os padrões — e as prioridades — que Jesus nos ensinou.

Sobre o autor

Carlos Alberto de Quadros Bezerra é pastor, conferencista, escritor e fundador da Comunidade da Graça. Formado em Direito, Filosofia, Ciências Contábeis e Teologia, é membro da Academia Paulista Evangélica de Letras. Dedica-se ao aconselhamento e ao discipulado de pastores em diversos países. É casado com Suely Bezerra, tem seis filhos e 16 netos.

Anotações

Anotações

Anotações

Compartilhe suas impressões de leitura escrevendo para:
opiniao-do-leitor@mundocristao.com.br
Acesse nosso *site*: www.mundocristao.com.br

Equipe MC:	Maurício Zágari (editor)
	Natália Custódio
Diagramação:	SWB
Revisão:	Josemar de Souza Pinto
Gráfica:	Imprensa da Fé
Fonte:	ITC Usherwood Std
	Adobe Jenson Pro
Papel:	Lux Cream 70 g/m² (miolo)
	Cartão 250 g/m² (capa)